Y0-BTW-996

Günther Daubach

Wörterbuch der Computerei

Mit Erläuterungen der wichtigsten Begriffe und Fehlermeldungen

englisch – deutsch
deutsch – englisch

CIP-Kurztitelaufnahme der Deutschen Bibliothek
Daubach, Günther:
Wörterbuch der Computerei:
mit Erl. d. wichtigsten Begriffe und Fehlermeldungen;
engl.-dt., dt.-engl. / Günther Daubach. - 6. Aufl.

Vaterstetten: IWT-Verlag, 1986

ISBN 3-88322-026-4
NE: HST

ISBN 3-88 322-026-4
2. erweiterte Auflage 1983
6. Auflage 1986

Herstellung: Holdenrieds Druck- und Verlags-GmbH, Füssen
Umschlaggestaltung: Kaselow und Partner, München

Vorwort zur ersten Auflage

Es ist nicht wegzuleugnen, der Mikroprozessor - das Wunderkind der modernen Mikroelektronik - hat das Licht der Welt in den USA erblickt.

Kein Wunder also, daß er (oder besser seine Eltern) Englisch sprechen.

Habe ich "Englisch" geschrieben ? ....besser wäre wohl "computerchinesenglisch" !

Der geplagte Anwender ist bis heute leider immer noch allzu oft gezwungen, Dokumentationen in der Originalsprache zu lesen, da deutsche Ubersetzungen nicht oder nur spärlich vorhanden sind und diese zudem noch teilweise mißverständlich übersetzt sind.

Im Datenbuch eines namhaften deutschen Lieferanten des 8080 wird zum Beispiel heute noch ein "current status register" als "Stromzustandsregister" bezeichnet.

Oder kennen Sie einen PROM (programmierbaren Festwertspeicher) mit "gesicherten Verbindungen" (nachzulesen im Datenbuch des MCS 6502)? Gemeint sind die beim Programmieren durchbrennbaren Verbindungen im Inneren das Bausteins, die im Englischen so trefflich als "fusible link" (von fuse - Sicherung) bezeichnet werden.

Gerade am letzten Beispiel erkennt man, daß es teilweise sinnlos oder gar unmöglich ist, alle Fachbegriffe aus der Mikrocomputertechnik einzudeutschen. So werden Sie auch in diesem Wörterbuch einige Begriffe finden, bei denen unter der deutschen Bezeichnung ein englischer Begriff steht, da er sich einfach so im deutschen Sprachgebrauch eingebürgert hat.

Dieses Wörterbuch ist durch Analyse von englischsprachigen Fachbüchern, Fachzeitschriften und Bedienungsanleitungen entstanden. Die in diesen Dokumentationen häufig vorkommenden Begriffe wurden aufgenommen, ohne daß ein Anspruch auf Vollständigkeit erhoben werden soll.

Gerade für den "Newcomer" (Entschuldigung...ich meine "Neuling!) in diesem interessanten Gebiet sind die Erläuterungen zu den wichtigsten Begriffen als kleine Hilfe zum besseren Verständnis der Materie gedacht.

Wenn das Wörterbuch als handlicher Begleiter beim Streifzug durch das "Fachchinesisch" eine kleine Hilfestellung bieten kann, dann hat es, so glaube ich, seinen Zweck erfüllt, die Sprachbarrieren etwas abzubauen.

Leverkusen im Juli 1982 Günther Daubach

Vorwort zur zweiten Auflage

In der hier vorliegenden zweiten Auflage wurden weitere wichtige Begriffe der Computerei und der Textverarbeitung neu aufgenommen.

Zusätzlich finden Sie im Anhang eine Aufstellung der wichtigsten Fehlermeldungen mit Übersetzung und Erläuterung.

An dieser Stelle möchte ich einen besonderen Dank an die Leser richten, die mir mit Hinweisen und Verbesserungsvorschlägen geholfen haben. Auch dem IWT-Verlag danke ich für die gute Zusammenarbeit.

Burscheid im Mai 1983 Günther Daubach

T E I L 1

englisch / deutsch

In diesem Abschnitt finden Sie wichtige Fachbegriffe aus den Bereichen der Mikroprozessoren und Personalcomputer in englisch/deutscher Zusammenstellung.

Zu den wichtigsten Begriffen ist neben der eigentlichen Übersetzung des Ausdruckes auch eine kurze Erläuterung angeführt.

Folgende Abkürzungen werden verwendet:

Abk.f.	=	Abkürzung für
bzw.	=	beziehungsweise
i.A.	=	im Allgemeinen
i.e.S.	=	im eigentlichen Sinne
i.ü.S.	=	im übertragenen Sinne
reg.Wz.	=	registriertes Warenzeichen
u.a.	=	unter anderem
usw.	=	und so weiter
u.U.	=	unter Umständen
z.B.	=	zum Beispiel
-->	=	Verweis auf einen weiteren Suchbegriff

A/D converter *Analog-Digital Wandler*

abbreviate *abkürzen*

absolute address *absolute Adresse - die Adresse eines Speicherplatzes oder einer Programmverzweigung steht direkt im Programmspeicher.*

absolute jump *Sprung mit absoluter Adresse --> absolute address.*

access *Zugriff (auf einen Speicher) - random a. = wahlfreier Z., sequential a. = sequentieller Z. Bei wahlfreiem Z. kann jede beliebige Speicherzelle direkt angesprochen werden, beim sequentiellen Z. muß vor Erreichen der gewünschten Speicherzelle eine bestimmte Anzahl vorangehender Zellen gelesen werden (z.B. Magnetband).*

access time *Zugriffszeit - Zeit, die zwischen Anliegen einer gültigen Adresse und der Bereitschaft zur Aufnahme oder Abgabe von Daten liegt.*

ACIA *asynchroner Datenübertragungs-Schnittstellenbaustein (Asynchronous Communications Interface Adapter) - in diesem Baustein erfolgt die Umsetzung serieller in parallele Daten und umgekehrt. Es wird zur Übertragung der Daten kein getrenntes Synchron-Signal verwendet, sondern durch Start- und Stop-Bits Synchronisierung zwischen Sender und Empfänger erreicht.*

acknowledge *positive Rückmeldung, Quittung - z.B. interrupt a. - CPU-Signal als Quittung, daß eine Unterbechung akzeptiert wurde und bearbeitet wird.*

acoustic coupler *Akustik-Koppler - zur Übertragung von Daten über Fernmeldeleitungen. Die als Töne codierten Daten werden durch den A.K. in den eingelegten Handapparat eines Fernsprechers übertragen.*

activate *aktivieren - man spricht vom Aktivieren einer Funktion oder Prozedur, wenn* *sie aufgerufen wird.*

active *aktiv, betriebs- oder funktionsbereit - z.B. eine Signalleitung oder ein Peripheriegerät.*

actual parameter *tatsächlicher, aktueller Parameter - ein a.p. ist ein Parameter oder Wert, der an eine Prozedur oder Funktion beim Aufruf übergeben wird und der damit den formalen Parameter (--> formal parameter) der Prozedur- oder Funktionsdeklaration ersetzt.*

ADA *höhere Programmiersprache, besondere Eigenschaften: maschinenunabhängig, strukturiert zu programmieren.*

ADC *Abk.f. A/D converter*

add *addieren*

addition *Addition*

address *Adresse (einer Speicherzelle oder eines Peripheriebausteins)*

address bus *Adress-Bus - Sammelleitung, über die alle Systembausteine eines Mikroprozessorsystems zusammengeschaltet sind und adressiert werden. Durch geeignete Adressdecodierung muß dafür gesorgt werden, daß immer nur ein Baustein bzw. eine Speicherzelle angesprochen wird.*

address map *Adress-Tabelle - eine solche Tabelle wird z.B. verwendet, um eine Zuordnung zwischen logischen und physischen Adressen durchzuführen (--> logical address, physical address).*

addressing mode *Adressierungsart - Verfahren, wie in einem Programm Adressen angegeben bzw. erzeugt werden, z.B. absolut, relativ, indirekt, indiziert.*

adjust *justieren - right adjust = Daten in ein Feld rechtsbündig eintragen, left adjust = Daten in ein Feld linksbündig eintragen.*

ALGOL *= Algorithmic Language - höhere Programmiersprache,* *hauptsächlich für mathematische, technische und wissenschaftliche Anwendungen.*

algorithm *Algorithmus - Verfahren zur Lösung eines bestimmten Problems oder die Bearbeitung einer Aufgabe mit einer begrenzten Anzahl von Schritten.*

alignment *Abgleich - im übertragenen Sinne auch z.B. Anpassung einer Zahl an eine bestimmte Darstellungsform.*

allocate *zuordnen, zuweisen - z.B. to a. disk space = auf einer Diskette einen Speicherbereich einer Datei zuordnen oder für eine Datei reservieren.*

alphanumeric *alphanumerisch*

alphanumerics *alphanumerische Zeichen - (Ziffern Ø...9 und Buchstaben A...Z und a...z)*

alter *ändern*

ALU *Abk.f. --> arithmetic logic unit*

analog *analog - analoge Größen sind solche, die sich stufenlos ändern können, so z.B. die meisten physikalischen Größen. Im Gegensatz dazu erfolgt die Darstellung von Größen im Mikroprozessor digital, so daß bei Prozeßsteuerungen A/D- bzw. D/A Umsetzer zur Verbindung mit der "Außenwelt" eingesetzt werden müssen.*

analog computer *Analogrechner - bei einem A. werden Größen durch analoge, also stufenlos änderbare, Größen, wie Spannung, Strom, Druck oder mechanische Hebelstellungen dargestellt.*

ancillary equipment *Zubehör, Zusatzgerät*

AND *UND - Bezeichnung für eine logische Verknüpfung, bei der der Zustand der Ausgangsvariablen dann und nur dann wahr ist, wenn alle Eingangsvariablen gleichzeitig den Zustand wahr annehmen.*

AND gate *UND-Gatter - schaltungstechnische Realisierung der logischen UND-Verknüpfung.*

APL *höhere Programmiersprache, hauptsächlich für mathematische Anwendungen.*

append *anfügen, anhängen - z.B. a. to a file = an das Ende einer Datei weitere Daten anfügen.*

appendix *Anhang*

applications program *Anwendungsprogramm, Anwenderprogramm - im Gegensatz zu einem Systemprogramm (system program), das zur Steuerung der internen Funktionsabläufe und zur Kommunikation mit einem Computersystem dient.*

architecture *Architektur - Definition der Struktur und Organisation eines Systems zur Datenverarbeitung.*

archival storage *Archivspeicher - Speichermedium (z.B. Diskette oder Magnetband), auf dem Dateien als Sicherungskopie gespeichert sind (--> backup).*

area *Bereich - z.B. memory area = Speicherbereich, variable area = Bereich zur Speicherung variabler Größen.*

argument *Argument - z.B. a. of a function = Zahlenwert, der an eine Funktion zur Bearbeitung übergeben wird.*

arithmetic *arithmetisch, Arithmetik*

arithmetic expression *arithmetischer Ausdruck*

arithmetic function *arithmetische Funktion - z.B. Addition, Subtraktion, Multiplikation, Division.*

arithmetic-logic unit *arithmetisch-logische Einheit oder Rechenwerk - in diesem Funktionsblock des Mikroprozessors werden arithmetische und logische Verknüpfungen und Vergleiche ausgeführt. Im allgemeinen Sinn ist die ALU eine Schaltung, die ihre Ein-*

gangssignale entsprechend den Zuständen von Steuersignalen miteinander verknüpft.

arithmetic overflow arithmetischer Überlauf - bei einer arithmetischen Operation tritt ein Ergebnis auf, das zu groß ist, um in dem verwendeten Datenformat dargestellt werden zu können.

arithmetic shift arithmetisches Schieben - die Bits eines Speicherplatzes werden nach rechts oder links verschoben; das vordere Bit (Vorzeichen) behält seinen Wert jedoch bei.

array (Daten-)Feld - eine n-dimensionale Datenstruktur, entsprechend einer Matrix im mathematischen Sinn.

arrow Pfeil - z.B. right a. = Taste mit Pfeil nach rechts.

ascending aufsteigend - z.B. sort by ascending order = sortieren nach aufsteigender Reihenfolge.

ASCII American Standard Code for Information Interchange - 7-bit Code zur Übertragung und Darstellung alphanumerischer Daten, oft mit einem zusätzlichen Paritätsbit zur Fehlererkennung.

aspect ratio Seitenverhältnis - z.B. bei einer grafischen Darstellung oder eines Zeichens.

assemble assemblieren - Übersetzung eines in Assemblersprache (in mnemonischen Codes) geschriebenen Programms in den entsprechenden Maschinencode.

assembler Assembler - Hilfsprogramm zum assemblieren. Es werden i.A. auch symbolische Adressen in absolute oder relative Adressen übersetzt und das Programm auf syntaktische Fehler geprüft.

assembler language, assembly l. Assembler-Sprache - prozessorspezifische Sprache, bei der die Befehle durch mnemonische

Kürzel und Adressen mit Symbolen dargestellt werden. Ein solches, meist mit einem Editor erstelltes Programm dient anschließend als Quellenprogramm für einen Assembler, mit dem es in den eigentlichen Maschinencode als Objektprogramm übersetzt wird.

assign zuweisen - z.B. einer Variablen einen bestimmten Wert zuweisen.

asterisk Stern, Sternchen

asynchronous asynchron - z.B. Datenübertragung (--> ACIA). Allgemein werden zwei oder mehr Signale oder Ereignisse als asynchron bezeichnet, wenn sie in keinem festen zeitlichen Verhältnis zueinander stehen.

back-up Reserve, Aushilfe - meist im Sinne von "Sicherungskopie" einer Diskette oder eines anderen Datenträgers verwendet.

background processing Hintergrundverarbeitung - Arbeitsweise bei einem unterbrechungsfähigen Computersystem, bei dem zwei Programme scheinbar gleichzeitig ablaufen. Das im "Hintergrund" ablaufende Programm, dessen Existenz dem Benutzer oft gar nicht bewußt ist, wird durch das "Vordergrundprogramm" wenn erforderlich unterbrochen.

background program Hintergrundprogramm --> background processing.

backplane Rückwandverdrahtung, Bus-Platine - eine gedruckte Schaltung, die die Bus- oder Sammelleitungen eines Computersystems enthält. Die einzelnen Systemkomponenten werden auf diese Busplatine gesteckt.

backspace Rücktaste - Steuerzeichen bzw. -taste mit dem die aktuelle Schreibposition auf einem Datenausgabegerät um eine Stelle nach links verschoben wird.

bandwidth Bandbreite - oft verwendet zur Angabe der größten zulässigen Geschwindigkeit bei der Datenübertragung.

bank switching Speicherbank-Umschaltung - ein Verfahren zur Erweiterung des verfügbaren Arbeitsspeichers. So können z.B. 8-bit Prozessoren i.A. nur 65.536 (64 KByte) unterschiedliche Speicherplätze adressieren. Durch Umschalten zwischen mehreren Speicherblöcken (z.B. über einen Ausgabebaustein) können größere Speicherbereiche angesprochen werden.

base Basis - meist im Zusammenhang mit Zahlensystemen verwendet. So hat z.B. das Dualsystem die Basis 2 und die Zahlendarstellung erfolgt auf Grund von Zweierpotenzen.

base address Basisadresse - hiermit wird z.B. die Adresse des ersten Speicherplatzes in einem Speicherblock bezeichnet.

BASIC Abk.f. Beginners All purpose Symbolic Instruction Code - auf Mikrocomputern weit verbreitete höhere Programmiersprache. Vorteile: leicht zu erlernen, interaktives Programmieren möglich, da i.A. als Interpreter verfügbar, universell verwendbar. Nachteile: keine feste Normung, wie bei anderen Sprachen, Elemente zur strukturierten Programmierung nicht oder nur spärlich vorhanden.

baud Baud - Maßangabe für die Geschwindigkeit bei der Datenübertragung. Angegeben wird, wie oft pro Sekunde sich der Zustand des übertragenen Signals maximal ändern kann.

baud rate Baud Rate (--> baud).

batch mode Stapelbetrieb - Arbeitsweise, bei der Programmfunktionen ohne weiteres Eingreifen eines Bedieners ablaufen.

baudot code Baudot Code -

Datenübertragungscode für Fernschreibmaschinen. Die Codezeichen bestehen aus 5 Bit; damit ergeben sich nur 32 mögliche Kombinationen. Um wenigstens die Großbuchstaben, Ziffern und wichtigsten Sonderzeichen darstellen zu können, gibt es zwei Steuerzeichen, mit denen zwischen Buchstaben und Ziffern/Sonderzeichen umgeschaltet wird.

BCD Binary Coded Decimal - binär codierte Dezimalziffern - Darstellungsform, bei der jede einzelne Dezimalziffer dual codiert gespeichert wird, im Gegensatz zur binären Darstellung, bei der Dezimalzahlen zur internen Speicherung und Verarbeitung in Dualzahlen umgewandelt werden. Bei der BCD-Darstellung ist zwar ein größerer Speicherbedarf erforderlich, jedoch vermeidet man Rundungsfehler bei der Umwandlung.
Ein häufig verwendeter BCD-Code ist der 8-4-2-1 Code mit folgender Zuordnung:

0 = 0000
1 = 0001
2 = 0010
3 = 0011
4 = 0100
5 = 0101
6 = 0110
7 = 0111
8 = 1000
9 = 1001

benchmark "Fixpunkt" --> benchmark test.

benchmark program Benchmark Programm, Bewertungsprogramm --> benchmark test.

benchmark test Benchmark Test - Vergleichsverfahren zwischen verschiedenen Prozessortypen, durch Bearbeitung von Bewertungsprogrammen. Der Aussagewert ist jedoch umstritten, da die Prozessoren zu unterschiedlich sind, als daß ein allgemeingültiges Vergleichsprogramm formuliert werden könnte.

bi-directional bidirektional - z.B. bidirektionaler Datenbus = Sammelleitung für Datensignale; die Datenleitung und die angeschlossenen Bausteine sind so gestaltet, daß Daten in beiden Richtungen über die Leitung übertragen werden können.

bi-directional printing bidirektionaler Druck - die Fähigkeit eines Druckers, sowohl bei der Vorwärtsbewegung des Druckkopfes (von links nach rechts) als auch bei der Rückwärtsbewegung (von rechts nach links) Zeichen zu drucken.

binary binär - Darstellung von Größen durch zwei unterschiedliche Zustände. Im binären Zahlensystem erfolgt die Zahlendarstellung mit zwei unterschiedlichen Ziffern, Ø und 1. Eine Binärzahl stellt eine aufsteigende Folge von Zweierpotenzen dar, z.B. 1Ø11Ø = 1*16 + Ø*8 + 1*4 + 1*2 + Ø*1 = 22.

binary coded decimal binär codierte Dezimalziffer --> BCD.

binary digit Binärstelle

binary search binäres Suchen - ein Suchverfahren für sortierte Listen, bei dem die Menge der zu durchsuchenden Elemente in etwa halbiert wird. Dann wird die Teilmenge, in der das gesuchte Element größenmäßig enthalten sein muß, erneut halbiert. Dieser Vorgang wird solange fortgesetzt, bis schließlich das gesuchte Element gefunden wird oder bis festgestellt werden kann, daß es nicht vorhanden ist.

BISYNC Abk.f. Binary Synchronous Communication = binäre synchrone Datenübertragung - hierbei handelt es sich um ein spezielles Übertragungsprotokoll, das von vielen Datensichtgeräten und Computersystemen verwendet wird.

bit binary digit - Binärstelle - ein Bit ist die kleinste Einheit, in der noch eine aussagefähige Infomation enthalten sein kann (wahr oder falch).

bit density Bit-Dichte - Maßzahl für die Aufzeichnungsdichte auf magnetischen Datenträgern (Einheit: bit/Länge).

bit manipulation bitweise Verarbeitung - im Gegensatz zu Operationen, die gleichzeitig alle parallel in einem Mikroprozessorsystem dargestellten Bits beeinflussen (Wortmanipulation), verfügen einige Mikroprozessoren auch über Befehle, die einzelne Bits innerhalb eines Wortes beeinflussen.

bit test Bit Test - Prüfung, ob ein bestimmtes Bit innerhalb eines Wortes gesetzt oder gelöscht ist. Einige Mikroprozessoren verfügen dazu über besondere Befehle.

bit slice element Bit Slice Element - Im Gegensatz zu den üblich eingesetzten Mikroprozessoren mit fester Wortlänge (z.B. 8 oder 16 Bit) kann man durch den Einsatz von Bit Slice Elementen Prozessorsysteme beliebiger Wortlänge zusammenstellen. Meist muß durch den Anwender auch der Befehlssatz eines solchen Systems in einem Mikroprogramm selbst definiert werden. Die Bausteine sind i.A. in TTL-Technik ausgeführt, so daß sich sehr schnelle Arbeitsgeschwindigkeiten erzielen lassen.

blank Leerzeichen

blinking cursor blinkende Schreibmarke

block Block - meistens im Sinne von "Datenblock" z.B. block move = Verschieben eines gesamten Datenblocks innerhalb des Speichers.

block size Blockgröße - Länge eines Speicherblocks

block transfer Blocktransfer, -übertragung - Verfahren, bei dem Daten aus einem Bereich aufeinanderfolgender Speicheradressen in einen anderen Bereich übertragen werden. Das kann entweder durch eine spezielle Schaltung (Hardware) erfolgen oder durch den Prozessor selbst. Einige Prozessoren kennen hierzu spezielle Befehle.

boldface Fettdruck

Boolean algebra Boolesche Algebra - nach dem Mathematiker Boole benannte Regeln zur zweiwertigen Logik; Grundlage der binären Verknüpfungsregeln.

boot Systemstart --> bootstrap loader

bootstrap Systemstart --> bootstrap loader

bootstrap loader Urlader - Hilfsprogramm, das beim Einschalten eines Computersystems aktiviert wird. Seine Aufgabe ist es, das eigentliche Systemprogramm von einem externen Speichermedium (z.B. Diskette) in den Arbeitsspeicher zu laden und anschließend die Kontrolle an dieses Programm zu übergeben.

borrow Negativ-Übertrag (bei einer Subtraktion)

bpi Bit pro Zoll (bit per inch) - Maßzahl für die Aufzeichnungsdichte --> bit density.

bps Bit pro Sekunde (bit per second) - Maßzahl für die Übertragungsgeschwindigkeit.

bracket Klammer

branch Verzweigung, Programmverzweigung - (1) Bezeichnung für Befehle, die veranlassen, daß der "geradlinige", sequentielle Ablauf eines Programms verlassen wird und eine Fortsetzung an anderer Stelle erfolgt. (2) Verzweigungsstelle im Knoten bei einer baumartigen Datenstruktur.

branch instruction Verzweigungsanweisung - Befehl in einem Programm, mit dem der "geradlinige" Programmverlauf verlassen und an anderer Stelle fortgesetzt wird --> conditional branch.

breadboard "Brotbrett" - im übertragenen Sinne: Versuchsschaltung

breadboarding eine Versuchsschaltung aufbauen.

break Abbruch (eines Programms)

breakpoint Haltepunkt - Bei Hilfsprogrammen zur Fehlersuche in Programmen kann ein H. gesetzt werden. Die Ausführung des zu testenden Programms erfolgt bis zu dieser Haltadresse schnell, dann erfolgt ein Sprung in das Hilfsprogramm, mit dem z.B. der Zustand der CPU-Register angezeigt werden kann.

bubble memory Magnetblasenspeicher

bubble sort Bubble sort - Bezeichnung für ein Sortierverfahren, bei dem die zu sortierenden Elemente gleichsam wie Blasen (bubbles) an die richtige Stelle "perlen". Dieses Verfahren ist zwar recht einfach, jedoch besonders bei großen zu sortierenden Datenmengen relativ langsam.

buffer Puffer(speicher) - Speicherbereich, in dem Daten bis zur weiteren Verarbeitung zwischengespeichert werden.

bug "Käfer" - im übertragenen Sinne: ein Programmfehler.

built-in "eingebaut" - eine "built-in function" ist z.B. eine Funktion, die standardmäßig in einer Programmiersprache enthalten ist.

bus Sammelleitung - in Mikroprozessorsystemen findet man im Allgemeinen den Daten-, Adress- und Steuerbus.

bus transceiver Bus Sende-Empfänger - Baustein zum Anschluß an bidirektionale Sammelleitungen, meistens mit Puffereigenschaft.

busy "beschäftigt-Signal" - hiermit meldet zum Beispiel ein Peripheriegerät, daß es nicht zur Aufnahme weiterer Zeichen bereit ist.

byte *Byte - acht Bit langes Datenwort.*

CAD *Abk.f. computer aided design = computergestütztes Entwurfsverfahren - grafisches Verfahren zum Entwurf von Zeichnungen.*

CAI *Abk.f. computer aided instruction = computergestützte Ausbildung.*

call *Aufruf (eines Unterprogramms oder einer Prozedur).*

caller, calling program *aufrufendes Programm - ein Programmabschnitt, der ein Unterprogramm oder eine Prozedur aufruft. Das aufrufende Programm kann seinerseits ein Unterprogramm oder eine Prozedur sein.*

calling sequence *Aufruf-Folge - die Befehlsfolge zum Aufruf einer Prozedur oder eines Unterprogramms und zur Übergabe der erforderlichen Parameter oder Werte.*

cancel *(eine Funktion) abbrechen*

capacity *Kapazität, Speicherkapazität.*

capital letter *Großbuchstabe*

card *Karte im Sinne von Steckkarte oder gedruckter Schaltung oder auch Lochkarte.*

card puncher *Lochkartenstanzer*

card reader *Lochkartenleser*

carriage *"Wagen" - der bewegliche Teil eines Druckers, der den Druckkopf trägt.*

carriage return *Wagenrücklauf ebenso bei Datensichtgeräten: hier ist der Rücksprung der Schreibmarke an den linken Zeilenanfang gemeint.*

carrier *Trägersignal*

carry *Übertrag (bei einer Addition)*

cartridge *Kassette*

CAS *Abk.f. column address stobe - Steuersignal bei Speicherbausteinen, besonders bei dynamischen RAMs.*

cassette *Kassette - i.d.R. Audiokassette zur preiswerten Speicherung von Daten.*

cathode ray tube *Kathodenstrahlröhre, Bildröhre*

CBASIC *Abk.f. Commercial BASIC (reg.Wz.) - Bezeichnung für eine Variante der Programmiersprache BASIC, die besonders auf die Verwendung bei kaufmännischen Programmen abgestimmt ist.*

CCD *= charge coupled device - Speicherbaustein, bei dem die Informationen durch Kapazitätsladung gespeichert werden.*

central processing unit, CPU *Zentraleinheit - oft auch im Sinne von "Mikroprozessor" verwendet; der Abschnitt eines Computersystems, der die ALU (--> arithmetic logic unit) und die Schaltungen zur Systemsteuerung erhält. Die CPU liest i.A. eine Anweisung aus dem Programmspeicher und führt diese aus.*

chain *Kette, Schlange - im Sinne von Warteschlange. Im Mikroprozessorsystem kann jeweils nur eine Aufgabe gleichzeitig ausgeführt werden. Sind mehrere Aufgaben zu erledigen (z.B. Anforderung mehrerer Peripheriegeräte) so müssen diese Aufgaben (tasks) in eine zeitliche Reihenfolge gebracht werden.*

chain printer *Kettendrucker - Druckertyp, der vorwiegend in großen EDV-Anlagen eingesetzt wird. Die einzelnen Typen sind auf einer umlaufenden Kette angebracht. Hinter dieser Kette befinden sich an jeder Druckposition Hämmer, die im geeignetem Moment die Typen anschlagen.*

chaining *Warteschlangen-*

Verfahren

change *Änderung, ändern*

character *Zeichen, Symbol*

character set *Zeichensatz - Menge aller in einem Code oder bei einer Programmiersprache zugelassenen Zeichen und Symbole.*

character string *Zeichenkette, Zeichenfolge*

check *Prüfung, Probe*

checksum *Prüfsumme - bei der Datenübertragung oder Aufzeichnung werden die einzelnen Zeichencodes eines Datenblocks nach einem bestimmten Verfahren aufsummiert. Diese P. wird mit übertragen bzw. aufgezeichnet. Beim Empfang bzw. Lesen der Information wird die P. in gleicher Weise errechnet und dieses Ergebnis mit der gesendeten bzw. aufgezeichneten P. zur Fehlererkennung verglichen.*

chip *Halbleiterplättchen, das eine integrierte Schaltung trägt, oft auch einfach im Sinne von "integrierte Schaltung" verwendet.*

clear *löschen (eines Speichers oder des Bildschirms)*

clock *Taktsignal, Uhr*

close *abschließen (einer Datei) - beim Schreiben von Daten z.B. auf eine Diskette werden die Daten zunächst in einen Pufferspeicher übernommen und ein tatsächlicher Schreibvorgang erfolgt erst dann, wenn dieser Puffer gefüllt ist. Sollen keine weiteren Daten mehr in eine Datei geschrieben werden, ist es möglich, daß der Puffer noch Zeichen enthält, die nicht auf Diskette geschrieben wurden. Durch das Abschließen einer Datei (CLOSE-Anweisung) wird dieser Pufferinhalt übertragen.*

CMOS *Abk.f. complementary metal oxide silicon - Bezeichnung für eine Bausteinfamilie. Die in dieser Technologie hergestellten Schaltungen zeichnen sich durch* geringe Leistungsaufnahme, weiten Versorgungsspannungsbereich und geringe Störanfälligkeit aus.

coaxial cable Koaxialkabel - Zweileiterkabel, bei dem ein Leiter als Abschirmmantel ausgebildet ist während der andere Leiter zentrisch im Inneren dieses Mantels geführt wird.

COBOL = common business oriented language Programmiersprache vorwiegend für kaufmännische Anwendungen.

co-resident ko-resident - mehrere Programme sind gleichzeitig im Arbeitsspeicher geladen und können im Wechsel aufgerufen werden, z.B. Editor- und Assemblerprogramm.

code Code - Vorschrift, nach der einer Menge von Zeichen eindeutig eine andere Menge von Zeichen zugeordnet wird, z.B. ASCIICode: alphanumerischen Symbolen werden Digitalwerte zugeordnet.

colon Doppelpunkt

column Spalte

command Anweisung, Befehl

commence eine Funktion oder ein Programm abschließen, beenden.

comment Kommentar, Anmerkung - Texte, die in einem Quellenprogramm zum besseren Verständnis enthalten sind, die jedoch durch das Übersetzerprogramm nicht beachtet werden.

comment field Kommentarfeld - Bereich - Textspalten, deren Inhalte von einem Übersetzerprogramm nicht beachtet werden.

communication Datenübertragung

compare vergleichen

comparison Vergleich

compatible kompatibel - Systeme, Geräte oder Programme bezeichnet man als kompatibel, wenn sie aufeinander abgestimmt sind. Upward c. = aufwärts kompatibel - z.B. ist der Befehlssatz des Prozessortyps Z80 aufwärts kompatibel zum Typ 8080, d.h. die Befehle des 8080 werden gleichermaßen auch vom Z80 ausgeführt. Zusätzlich verfügt dieser jedoch über eine große Anzahl weiterer Befehle.

compatibility Kompatibilität

compile übersetzen

compiler Übersetzer(programm) - durch ein Übersetzerprogramm wird das in einer bestimmten Programmiersprache geschriebene Quellenprogramm in den Maschinen- oder Objektcode übersetzt. Neben dieser reinen Übersetzungsfunktion führt ein solches Programm u.a. auch Syntaxprüfungen durch.

compiler language Kompilersprache - eine Programmiersprache, die durch ein Übersetzerprogramm in ein Maschinenprogramm übersetzt werden kann.

complement Komplement - allgemein ist das Komplement eine Ergänzung auf einen vorgegebenen Wert. Zur Ausführung von Subtraktionen mit Dualzahlen wird in Rechnern häufig mit einem Komplement gearbeitet.

composite video BAS-Signal - Signal zur Ansteuerung eines Bildschirms, es ist aus Bild, Austast- und Synchronsignalen zusammengesetzt.

compression Komprimierung - im Sinne von Datenkomprimierung - Informationen werden unter Weglassen aller nicht erforderlichen Bits gespeichert oder übertragen, um Speicherplatz einzusparen oder die Übertragungszeiten zu verringern.

compute berechnen

computer Rechner - meist im Sinne von "elektronischem Rechner" verwendet.

concatenate aneinanderketten, -fügen, verketten - z.B. können Texteditor-Programme meistens verschiedene, auf Diskette gespeicherte Textblöcke laden und zu einem größeren Textblock zusammenfügen.

concurrent zusammentreffend, gleichzeitig

condition Bedingung

condition code Zustandscode (eigentlich Bedingungscode) - in einem Mikroprozessor wird durch die Ergebnisse bestimmter Operationen der Zustandscode beeinflusst. Dieser Code wird in einem speziellen Register gespeichert und kann anschließend als Bedingung für Programmsprünge oder Verzweigungen verwendet werden.

conditional branch bedingte Programmverzweigung --> condition code.

conditional jump bedingter Programmsprung --> condition code.

connector Verbinder, Stecker - hier kann es sich um einen elektromechanischen Steckverbinder handeln. Man findet diesen Begriff aber auch im Zusammenhang mit der Programmierung; hier ist ein Programmstück gemeint, mit dem eine Verbindung zwischen zwei weiteren Programm-Modulen hergestellt wird.

consecutive aufeinanderfolgend, fortlaufend

console Konsole - hier ist das Ein-/Ausgabegerät gemeint, an dem der Bediener eines Rechners sitzt; meist handelt es sich dabei um ein Datenterminal.

constant konstant, Konstante - eine K. ist ein innerhalb eines Programms unveränderlicher Wert.

contents Inhalt

continuous form Endlosformular

contrast Kontrast - ein Maß für den Helligkeitsunterschied zwischen hellen und dunklen Stellen auf einem Bildschirm.

control Steuerung

control block Steuerblock - Speicherbereich, in dem bestimmte Informationen z.B. zur Ansteuerung eines Peripheriegerätes oder zum Schreiben einer Datei auf Diskette enthalten sind.

control bus Steuerbus - Sammelleitung, über die Steuersignale zwischen dem Mikroprozessor und angeschlossenen Systembausteinen ausgetauscht werden (z.B. Schreib und Lesesignal).

control character Steuerzeichen - Zeichen in einem Datenübertragungscode, das kein druckbares Zeichen erzeugt, sondern bestimmte Funktionen auslöst, z.B. Zeilenschaltung oder Formularvorschub.

control instruction Steueranweisung

control register Steuerregister - Register z.B. in einem Ein-/Ausgabebaustein, von dessen Inhalt die Funktionsweise des Bausteins abhängt.

control unit Steuereinheit, Steuerwerk

controller Steuerbaustein, Steuerschaltung - z.B. disk controller = Baustein oder Schaltung zur Steuerung der grundlegenden Diskettenfunktionen.

conversion Umwandlung, Konvertierung

convert umwandeln, konvertieren

coprocessor Koprozessor - ein Prozessor in einem Computersystem, der mit anderen Prozessoren innerhalb des Systems zusammenarbeitet. Koprozessoren können dabei vollständige --> CPUs sein, die in ein Mehrprozessorsystem eingebunden sind, oder spezielle Prozessoren zur Durchführung bestimmter Aufgaben (z.B. Ausführung arithmetischer Operationen oder Steuerung von Ein- und Ausgaben).

copyright Urheberrecht

core memory Kernspeicher

count zählen

CP/M (reg.Wz.) - Bezeichnung für ein Monitor- und Diskettenbetriebsprogramm der Fa. Digital Research. Dieses für Mikrocomputer mit den Prozessortypen Z8Ø und 8Ø8Ø/8Ø85 geeignete Programm zeichnet sich durch einfache Anpassbarkeit an unterschiedliche Gerätekonfigurationen aus. Vorteilhaft ist weiterhin die standardisierte "Softwareschnittstelle", über die Anwenderprogramme Funktionen des Betriebsprogramms aufrufen können. CP/M gehört derzeit zu den meistverbreitetsten Programmen seiner Art. Neue Versionen für 16-Bit Prozessoren und für Mehrbenutzer-Anlagen sind ebenfalls verfügbar.

CPS Abk.f. characters per second = Zeichen pro Sekunde - ein Maß für die Geschwindigkeit eines Druckers.

CPU Abk.f. central processing unit - Zentraleinheit, i.A. als Bezeichnung für den Mikroprozessorbaustein verwendet.

CRC cyclic redundance check - Verfahren zur Absicherung von Datenaufzeichnungen gegen Fehler, meistens bei der Datenspeicherung auf magnetischen Medien verwendet.

create erzeugen, generieren

cross reference table Querverweis- oder Referenztabelle.

CRT Abk.f. cathode ray tube - Kathodenstrahlröhre, Bildröhre

CRT-display Bildschirmanzeige

CRT-terminal
Datensichtgerät

CRTC Abk.f. cathode ray tube controller - Steuerbaustein für Bildschirmanzeige

cursor Schreibmarke - spezielles Symbol bei Datensichtgeräten zur Kennzeichnung der nächsten Schreibposition.

cycle Zyklus, Durchlauf - (1) Befehlszyklus: Bezeichnung für die Folge von Vorgängen und die erforderliche Zeit zum Lesen einer Anweisung und zur Ausführung der erforderlichen Operationen.
(2) Taktzyklus: Bezeichnung für eine Periode des Systemtaktes. Ein Befehlszyklus benötigt i.A. mehrere Taktzyklen, deren Anzahl von Befehl zu Befehl variiert.
(3) Speicherzyklus: Bezeichnung für die kleinste mögliche Zeit zwischen zwei Speicherzugriffen.

cycle stealing - ein Verfahren für Speicherzugriffe, bei dem ein Ein-/Ausgabeprozessor so mit dem Zeittakt des Hauptprozessors synchronisiert wird, daß der Ein-/Ausgabeprozessor zwichen den Speicherzyklen des Hauptprozessors auf den Speicher zugreift. Dieses Verfahren kann nur dann eingesetzt werden, wenn die Speicherelemente Zykluszeiten zulassen, die deutlich kleiner sind als die des Hauptprozessors.

D/A converter Digital-/ Analog-Wandler

DAC Abk.f. Digital-/ Analog-Wandler

daisy chain Warteschlange, Kette - Verfahren bei der Datenübertragung oder bei Bus-Systemen, bei dem alle Geräte hintereinandergeschaltet sind. Das erste Gerät ist das Hauptgerät. Die Übertragung zu einem beliebigen Gerät in der Kette erfolgt durch alle dazwischenliegenden Geräte.

daisy wheel printer Typenrad-Drucker

data Daten - codierte Information in einem Computersystem.

data area Datenbereich, -speicherbereich

data base Datenbank

data base management Datenbankverwaltung, Dateiverwaltung

data bus Datenbus - Sammelleitung auf der Datensignale zwischen den einzelnen Bausteinen eines Mikroprozessorsystems ausgetauscht werden.

data collection Datenerfassung

data communication Datenübertragung

data encryption Datenverschlüsselung - ein Verfahren zur Unkenntlichmachung von Daten auf einem Übertragungsweg zum Schutz vertraulicher Daten. Nur ein Empfangssystem, bei dem der Schlüssel bekannt ist, kann die Daten in ihrer ursprünglichen Form wiedergeben.

data entry Dateneingabe

data file Datei

data flow Datenfluss, Datensignalverlauf

data format Datenformat

data link Datenverbindung - eine Schnittstelle zwischen zwei oder mehreren Computersystemen die die Übertragung von Daten ermöglicht.

data management Datenverwaltung

data processing Datenverarbeitung

data stream Datenstrom - eine Folge von Daten, die durch den Prozessor seriell verarbeitet werden.

data sink Datensenke - Gerät, das Daten aufnimmt.

data source Datenquelle - Gerät, das Daten abgibt.

data storage Datenspeicherung

data strukture Datenstruktur - Beschreibung der Verfahren, wie Daten in einem System gespeichert werden und wie auf sie zugegriffen werden kann.

data table Datentabelle

date Datum

DCB Abk.f. device control block - Steuerblock für Peripheriegeräte - Speicherbereich, der Informationen über die Eigenschaften eines Peripheriegerätes und den Datenaustausch mit ihm enthält.

debounce entprellen (eines Tasters oder Schalters)

debug Fehlersuche in einem Programm

debugger Hilfsprogramm zur Fehlersuche in Programmen

decimal dezimal

decimal adjust Korrekturaddition, Dezimalkorrektur - angewendet bei BCD-Arithmetik.

decimal notation dezimale Schreibweise

decimal place Dezimalstelle

decimal tab Dezimaltabulator - eine Tabulatorstelle (z.B. bei der Textverarbeitung), die es ermöglicht, Zahlenkolonnen mit übereinander angeordnetem Dezimalpunkt einzugeben.

decision Entscheidung

decision tree Entscheidungsbaum - eine Datenstruktur zur Automatisierung komplexer Entscheidungsfunktionen. Jeder Knoten eines Entscheidungsbaums enthält die Angabe für eine Prüfung. Je nach Ergebnis dieser Prüfung wird zu einem neuen Knoten verzweigt, solange bis das Ende des Baumes erreicht ist.

declaration *Deklaration, Erklärung*

decode *decodieren*

decoder *Decoder*

decrement *dekrementieren, um eine Einheit verkleinern*

default *Standardwert, der bei Fehlen einer anderen Angabe angenommen wird.*

define *definieren*

definition *Definition*

degree *Grad*

delay *Verzögerung*

delay loop *Verzögerungsschleife*

delete *löschen, entfernen*

delimiter *Abgrenzungszeichen*

demo *Demonstration*

density *Dichte*

descending *absteigend, in absteigender Reihenfolge*

deselect *abschalten, deaktivieren - z.B. einen Speicher- oder Peripheriebaustein*

despool *Ausgabe eines Druckpuffers --> spool*

destination *Ziel - im Sinne von Ziel einer Datenübertragung*

development system *Entwicklungssystem*

device control block *Steuerblock für Peripheriegeräte - Speicherbereich, der Informationen über die Eigenschaften eines Peripheriegerätes und den Datenaustausch mit ihm enthält.*

device driver *Gerätetreiber(programm) - ein Abschnitt des Systemprogramms, das die Übertragung von Daten an ein Peripheriegerät steuert.*

diagnostic *Prüfung, Fehlerprüfung*

diagnostic program Prüfprogramm

digit Stelle, Ziffernstelle

digital digital

digitize digitalisieren

dimension Dimension, Größe - oft gebraucht im Sinne von Größe eines Datenfeldes

direct addressing direkte Adressierung - die Adresse eines Operanden steht unmittelbar hinter dem Befehlscode im Programmspeicher.

direct I/O dikekte Ein-/Ausgabe - Verfahren, bei dem die Ein-/Ausgabe von bzw. zu Peripheriebausteinen oder -geräten durch spezielle Ein-/Ausgabe-Anweisungen erfolgt, im Gegensatz zur Speicher-Ein-/Ausgabe (--> memory mapped I/O).

direct memory access direkter Speicherzugriff - mit Hilfe einer speziellen Hardware kann der Speicher eines Mikroprozessorsystems direkt unter Umgehung der CPU gelesen oder geschrieben werden. Dieses Verfahren wird sehr häufig angewendet, um Daten von bzw. zu schnellen Peripheriegeräten zu übertragen, auch zum schnellen Umladen von Speicherbereichen gut geeignet.

directive Anweisung

directory "Adressbuch" - hier gebraucht im Sinne von "Inhaltsverzeichnis" z.B. einer Diskette. Dieses Inhaltsverzeichnis ist eine spezielle Datei, die Informationen über die Lage und Länge, sowie Verteilung der Dateien auf der Diskette enthält. Mit seiner Hilfe wird der verfügbare Diskettenspeicherplatz durch das Disketten-Betriebssystem verwaltet.

disable sperren, blockieren

disassemble disassemblieren - rückübersetzen eines Objektcodes in den Quellencode oder mnemonischen Code.

disassembler Disassembler-programm

disassembly - bezeichnet den Vorgang des disassemblierens, auch gebraucht zur Bezeichnung des Ausdrucks eines Disassemblerprogramms.

disk Diskette

disk controller Disketten-Steuereinheit - auch Bezeichnung für eine integrierte Schaltung, die die wichtigsten Steuerfunktionen für ein Diskettenlaufwerk übernimmt.

disk drive Diskettenlaufwerk

disk file Disketten-Datei

disk operating system Disketten-Betriebssystem - Hilfsprogramm, mit dem Datenschreib- und leseoperationen auf der Diskette durchgeführt werden. In der Regel verwaltet dieses Programm auch den freien Disketten-Speicherbereich so daß der Anwender bzw. Anwenderprogramme nicht kontrollieren müssen, auf welchen Bereichen der Diskette Daten geschrieben werden dürfen und welche Bereiche bereits belegt sind. Weiterhin enthält i.A. das Disketten-Betriebssystem auch Hilfsprogramme zum Duplizieren von Disketten, Löschen oder Umbenennen von Dateien usw.

diskette Diskette

displacement Versatz

display Anzeige

distributed intelligence verteilte "Intelligenz" - ein Konstruktionsverfahren, bei dem verschiedene Mikroprozessoren in den einzelnen Systemkomponenten eingesetzt werden, in denen sie jeweils spezielle (für diese Komponenten typische) Funktionen erfüllen. Dadurch wird der Hauptprozessor entlastet und es lassen sich insgesamt höhere Verarbeitungsgeschwindigkeiten erzielen.

DMA Abk.f. --> direct memory access

documentation Dokumentation

DOS Abk.f. disk operating system

dot matrix printer Punktmatrix-Drucker - bei diesen Druckern werden die Symbole aus einzelnen, matrixförmig angeordneten Punkten gebildet.

double precision doppelte Genauigkeit

DPDT Abk.f. double pole double throw - Bezeichnung für einen zweipoligen Umschalter

DPST Abk.f. double pole single throw - Bezeichnung für einen zweipoligen Einschalter

draft copy Korrekturabdruck, Probedruck

drive Laufwerk

driver Treiber, Treiberprogramm - Programm zur Ansteuerung eines Peripheriegerätes (z.B. Drucker-Treiber)

DSR Abk.f. data set ready - Bezeichnung für ein Steuersignal bei der Datenübertragung

DTR Abk.f. data terminal ready - Steuersignal bei der Datenübertragung

dual dual, zweiwertig, doppelt

dual port memory Doppelkanal-Speicher - eine Speicherbaugruppe, die über zwei getrennte Zugriffskanäle mit Adress-, Daten- und Steuerleitungen verfügt. Damit können zwei Prozessoren (z.B. ein Hauptprozessor und ein Ein-/Ausgabeprozessor) unabhängig voneinander ohne zeitliche Synchronisierung auf den Speicher zugreifen.

dump Bezeichnung für den Ausdruck eines Speicherblocks, meist in hexadezimaler Form.

duplex duplex - bei einer Datenübertragung im Duplex-Betrieb können Daten zwischen zwei Geräten in beiden Richtungen übertragen werden. Man unterscheidet dabei zwischen voll-duplex (beide Geräte können gleichzeitig senden und empfangen) und halb duplex (jeweils ein Gerät sendet, das andere empfängt).

duplicate duplizieren

dynamic dynamisch

dynamic RAM dynamischer Schreib-Lesespeicher - bei diesem Speicher wird die Bit-Information (Ø oder 1) durch die Ladung einer Kapazität dargestellt. Da diese Ladung bedingt durch Leckströme nicht beliebig lange erhalten bleibt, müssen diese Bausteine in regelmäßigen Abständen aufgefrischt werden (refresh).

dynamic memory dynamischer Speicher

EAROM Abk.f. electrically alterable read only memory - Speicher, der feste Informationen enthält, die auch beim Wegfall der Stromversorgung nicht verloren gehen. Durch besondere elektrische Steuersignale kann jedoch sein Inhalt geändert werden.

EBCDIC Abk.f. Extended Binary Coded Decimal Interchange Code - dieser Code wird von elektronischen Systemen verwendet, um Textinformationen zu übertragen, jedem Symbol (Buchstabe, Ziffer, Satzzeichen) ist eindeutig ein Codezeichen zugeordnet.

edge connector Direktstecker - die Kante einer Leiterplatte ist mit Kontaktflächen versehen, auf die ein Direktstecker aufgesteckt werden kann.

edit editieren

editor Editor(programm) - Hilfsprogramm zum Erstellen und Bearbeiten von Textdaten, meist zum Schreiben von Quellenprogrammen verwendet.

effective address
effektive Adresse - die Adresse eines Speicherplatzes oder Programmsprunges kann u.U. in einem Programm berechnet werden. Die so gewonnene Adressinformation bezeichnet man als e.A.

empty leer - z.B. ein "leerer" Speicher. Im Grunde genommen gibt es keinen "leeren" Speicher, auch der dann allgemein angenommene Wert Ø stellt ja eine Information dar. Besser formuliert man: "der Speicher enthält Daten ohne Bedeutung".

emulation Emulation, Nachbildung - die Fähigkeit eines mikroprogrammierbaren Prozessors, den Befehlsvorrat eines anderen Computersystems auszuführen.

emulator Emulator - Schaltung oder System zur Nachbildung einer CPU; wird bei der Entwicklung und Fehlersuche eingesetzt.

enable freigeben, aktivieren

encode codieren

entry Eintrag, (Programm-) Einsprung

entry point Einsprungpunkt - Adresse, bei der ein Programmabschnitt beginnt (der beim Aufruf "angesprungen" wird).

environment Umgebung - im Sinne von "Programmumgebung" (Art und Größe des Rechnersystem, Art und Anzahl der angeschlossenen Peripheriegeräte) usw.

EOF Abk.f. end of file = Datei-Ende - oft verwendet als Bezeichnung eines speziellen Kenners, der das Ende einer Datei markiert.

EOJ Abk.f. end of job - Signal oder Kenner, mit dem das Ende eines Programms oder Programmabschnittes gekennzeichnet wird.

EOT Abk.f. end of text =

Text-Ende - Kenner für das Ende eines Textblocks bei der Datenübertragung.

EPROM Abk.f. erasable programmable read only memory = lösch- und programmierbarer Festspeicher - diese Speicherbausteine werden mit elektrischen Signalen programmiert und halten die Information auch beim Ausfall der Versorgungsspannung. Im Gegensatz zu PROMs (programmierbaren Festspeichern) können diese Bausteine durch Bestrahlung mit UV-Licht wieder gelöscht und anschließend neu programmiert werden.

equation Gleichung

erase löschen

error Fehler

error correcting code Fehlerkorrektur-Code - ein Verfahren zur Codierung von Daten bei dem auftretende Übertragungsfehler erkannt und korrigiert werden können. Diese Codes enthalten redundante Informationen (--> redundance). Wenn Fehler auftreten, kann durch diese redundanten Informationen die Position des Fehlers erkannt und eine Korrektur durchgeführt werden.

error message Fehlermeldung

error trap Fehler-"Falle" - besonderer Programm-Abschnitt, der bei Auftreten eines Fehlers aktiviert wird.

error trapping - Bezeichnung für ein Verfahren zur (Programm-) Fehlersuche, bei dem auftretende Fehler mit einem besonderen Programm abgefangen werden.

even gerade, geradzahlig

even parity gerade Parität - es liegt eine gerade Anzahl von "1"-Bits in einem Zeichen vor. Zur Sicherung gegen Fehler bei der Datenübertragung fügt man den Datenzeichen ein Paritätsbit hinzu. Durch entsprechendes Setzen oder Löschen dieses Bits erreicht man, daß z.B.

eine gerade Parität vorliegt. Der Datenempfänger führt eine entsprechende Paritätsprüfung zur Fehlererkennung durch.

exchange Austausch, austauschen, vertauschen - z.B. die Inhalte zweier Variablen.

exclusive OR Exklusiv-ODER, Antivalenz - Bezeichnung für eine logische Verknüpfung, bei der die Ausgangsvariable dann und nur dann den Zustand wahr annimmt, wenn nur eine von zwei Eingangsvariablen den Zustand wahr hat.

execute ausführen

execution Ausführung

execution cycle Ausführungszyklus, -schritt

execution time Ausführungszeit

exit Ausgang, Aussprung (aus einem Programm)

exit point Aussprungpunkt - die abschließende Anweisung eines Unterprogramms, mit der ein Rücksprung in das aufrufende Programm ausgeführt wird.

exponent Exponent

exponentation Bildung einer Potenz

expression (arithmetischer) Ausdruck

extended addressing erweiterte Adressierung - ein Adressierungsverfahren, das einen (physischen) Adressbereich erlaubt, der größer als der (logische) Adressbereich ist, d.h. der Bereich, der direkt durch den Prozessor adressiert werden kann. Die Größe des logischen Adressbereiches wird durch die Stellenzahl des Programmzählers und durch die Anzahl der vorhandenen Adressleitungen bestimmt.

extension Ergänzung, Erweiterung

extract Auszug

extraneous überflüssig

fabric ribbon Textil(farb)band

false falsch

fault Fehler

FCB Abk.f. file control block

FDC Abk.f. floppy disk controller

fetch nehmen, aufnehmen

fetch cycle Befehlsaufnahme(zyklus) - Abschnitt der Befehlsausführung durch den Prozessor, bei dem der Befehlscode aus dem Programmspeicher gelesen wird.

field (Daten-)Feld

FIFO Abk.f. first in first out - Bezeichnung für eine Speicherart, bei der die Informationen in der Reihenfolge ihrer Eingabe auch wieder gelesen werden können (erstes Element zuerst, letztes Element zuletzt.

file "Kartei" hier im Sinne von Datei gebraucht - als Datei bezeichnet man einen sinngemäß zusammenhängenden Block von Daten, der auf einem magnetischen Träger gespeichert ist. Welcher Art diese Daten sind, ist dabei unwichtig, es können z.B. Programme, Kundenadressen oder Sinuswerte sein.

file control block Datei-Steuerblock - Speicherbereich, in dem Informationen über eine Datei gespeichert sind (z.B. Länge, Lage auf der Diskette, Art der Datei usw.)

file management Dateiverwaltung - Diese Aufgabe wird normalerweise durch das Betriebssystem wahrgenommen.

file, random Datei mit wahlfreiem Zugriff - jeder Datensatz kann sofort angesprochen werden, ohne daß vorher andere Teile der Datei gelesen werden müssen.

filespec, filespecification Dateibezeichnung, Dateiname

find finden, suchen

firmware - Programme (Software), die durch den Hersteller eines Computersystems (oft in einem PROM gespeichert) mitgeliefert werden.

first-in first-out --> FIFO

fix an error einen Fehler finden und beseitigen

fixed point arithmetic Festkomma-Arithmetik

fixed point binary number binäre Festkommazahl

fixed point numer Festkommazahl

flag Merker

flash blitzen, blinken

flashing cursor blinkende Schreibmarke

floating point Fließkomma

floating point binary number binäre Fließkommazahl

floating point number Fließkommazahl

floppy disk Diskette

flow chart (Programm-) Flußdiagramm

flowcharting das Zeichnen eines Flußdiagramms

footer Fußnote, -zeile

form Form, Formular

form feed Formularvorschub

formal parameter formaler Parameter - ein Bezeichner, der bei der Definition einer Funktion oder Prozedur als Parameter erklärt wird. Bei einem späteren Aufruf der Funktion oder Prozedur wird dieser f.P. durch einen aktuellen Parameter (--> actual parameter) ersetzt.

format Format, formatieren - Schreiben eines Grundrasters oder einer Grund-

Information auf einen magnetischen Datenträger.

FORTH Programmiersprache - besondere Eigenschaften: arbeitet mit umgekehrt polnischer Notation, durch den Anwender frei festlegbare Funktionen und Schlüsselwörter.

FORTRAN Programmiersprache (formula translation) - hauptsächlich für mathematisch-technische Anwendungen.

FPLA Abk.f. field programmable logic array - Halbleiterbaustein mit einer Vielzahl von Logikfunktionen, deren Zusammen"schaltung" durch den Anwender fest programmiert werden kann.

frequency shift keying Frequenz-Umtastung - Verfahren zur Datenübertragung und -aufzeichnung, bei dem "1"- und "Ø"-Bits durch zwei unterschiedliche Tonfrequenzen dargestellt werden.

friction feed Reibungsantrieb - Papiertransport in einem Drucker, bei dem das Papier zwischen einer Gummiwalze und Andruckrollen geführt wird.

FSK Abk.f. frequency shift keying

full-duplex vollduplex (s. a. duplex)

function Funktion

function call Funktionsaufruf

function key Funktions-Taste - Taste, die kein sichtbares Zeichen, sondern ein spezielles Steuersignal erzeugt.

gap Lücke, Kluft - Bezeichnung für den Raum, der zwischen zwei Datenblöcken bei der Aufzeichnung auf magnetischen Datenträgern liegt.

garbage Müll, Unsinn - z.B. unsinnige Information, die in einem Schreib- Lesespeicher nach dem Einschalten steht.

garbage collection Speicher-Reorganisation - Verfahren, bei dem der Inhalt eines Speicherbereiches so geordnet wird, daß gültige Informationen zusammengeschoben und ungültige Informationen gelöscht werden, um neuen freien Speicher zu gewinnen. Diese Operation benötigt u.U. erhebliche Zeit und sie wird aus diesem Grund nur dann durchgeführt, wenn der verfügbare freie Speicher nicht mehr ausreicht.

gate Gatter, Tor - Bezeichnung für eine elektronische Schaltung, die eine logische Verknüpfung durchführt.

glitch Störimpuls, Fehlersignal

global allgemeingültig, übergeordnet - Variable in einem Programm werden als global bezeichnet, wenn sie im gesamten Programm einen gültigen Wert besitzen, im Gegensatz zu lokalen Variablen, die nur in einer Routine, Prozedur oder Funktion gültig sind.

graphic grafisch - z.B. graphic display - grafische Anzeige

graphics Grafiken

guide Führer - meist gebraucht im Sinne von "Handbuch"

half carry Zwischenübertrag - bei der BCD-Arithmetik entstehender Übertrag vom vierten in das fünfte Bit. Bei Auftreten eines solchen Übertrags muß eine Korrekturaddition durchgeführt werden.

half duplex halb duplex - Betriebsart bei der Datenübertragung: ein Datenaustausch ist zwar in beiden Richtungen zwischen zwei Geräten möglich, jedoch kann immer nur ein Gerät senden, während das andere empfängt.

halt Halt - Bezeichnung

für ein Steuersignal, mit dem eine CPU angehalten wird, um z.B. direkten Speicherzugriff zu ermöglichen.

handler Hilfsprogramm - z.B. video-handler = Programm, mit dem die Ausgabe auf einem Bildschirmsichtgerät gesteuert wird.

handshaking i.e.S.: "Händeschütteln" - Bezeichnung für ein Verfahren zur Kommunikation zwischen Rechner und Peripheriegerät: mit einem Signal zeigt der Rechner an, daß er Daten an das Peripheriegerät senden will, durch ein anderes Signal zeigt das Peripheriegerät an, daß es bereit ist, diese Daten aufzunehmen.

hang-up "aufhängen" - Bezeichnung für einen Zustand, bei dem ein Rechnersystem durch einen Programm- oder Systemfehler keine sinnvollen Funktionen mehr ausführt und auch keine Tasteneingaben zur Korrektur dieses Zustandes entgegennimmt. Normalerweise muß dann das System neu gestartet werden.

hard disk Festplatte, Festplattenlaufwerk

hard error ständiger Fehler - Fehler auf einem magnetischen Speichermedium oder in einem Gerät, der ständig auftritt im Gegensatz zu --> soft error.

hardcopy Ausdruck

hard wired fest verdrahtet - bezeichnet Baugruppen eines Computersystems, die durch Drähte fest miteinander verbunden sind. Bei neueren Systemen werden jedoch immer mehr "logische Verbindungen" verwendet, z.B. in Form von Festspeicherbausteinen (--> ROM), die leicht ausgetauscht werden können.

hardware i.e.S.: "Eisenwaren" - hier Bezeichnung für die elektronischen und mechanischen Teile eines Rechnersystems, also für alles, was man "anfassen" kann im Gegensatz zur "software", den Programmen (System- und Anwenderprogramme) eines Systems. (Im deutschen Sprachgebrauch spricht man ebenfalls von "Hardware" und "Software", da sich kaum ein treffendes deutsches Wort finden läßt.)

hardware interrupt Hardware-Unterbrechung - ein in Bearbeitung befindliches Programm wird unterbrochen und ein besonderes Unterbrechungsprogramm bearbeitet. Nach dessen Beendigung wird das unterbrochene Programm ab der Stelle weiterbearbeitet, an der es verlassen wurde. Dieser Vorgang wird durch ein Steuersignal an einem CPU-Eingang ausgelöst, also durch ein "Hardware-Signal".

hash, hashing i.e.S.: "Mischmasch" - Bezeichnung für ein Verfahren, bei dem aus gegebenen Daten (z.B. Namen in einer Kundendatei) nach einem bestimmten Algorithmus Kennziffern gebildet werden, deren Länge kürzer ist als die der Ausgangsdaten. Durch dieses Verfahren kann z.B. direkt der Speicherort einer Information auf einer Diskette bestimmt werden. Es besteht dabei grundsätzlich die Gefahr der Doppeldeutigkeit (mehrere unterschiedliche Ausgangsdaten führen zum gleichen Hash-Code).

hash code, hash number Hash-Code, Hash-Zahl - durch das Verfahren des "hashing" gewonnener Wert.

head load Kopfandruck - Bezeichnung für die Funktion, die bei einem Diskettenlaufwerk den Schreib-Lesekopf auf die Diskette drückt, auch Bezeichnung für ein entsprechendes Steuersignal.

header bei der Textverarbeitung: Kopfzeile, Überschrift - bei der Datenaufzeichnung: Präambel, Vor- oder Synchronsignal - Daten, die vor den eigentlichen signifikanten Daten aufgezeichnet werden. Sie enthalten z.B. Informationen über Art und Länge des nachfolgenden Datenblocks oder auch Synchronsignale.

heading Überschrift - z.B. eines Programms

hex, hexadecimal hexadezimal, sedezimal - Bezeichnung für ein Zahlensystem mit der Basis 16, meist zur verkürzten Darstellung von Datenwörtern verwendet, deren Länge ein Vielfaches von vier beträgt.

high order höchstwertig

high level language höhere (Programmier)sprache

highlight Hervorhebung - Darstellung von Zeichen auf einem Bildschirm, z.B. durch hellere oder Inversdarstellung, so daß sie sich von anderen Zeichen abheben.

histogram Histogramm - eine grafische Darstellung von Größen in einem Balkendiagramm, die Länge der einzelnen Balken ist proportional zur jeweiligen Größe.

HOB Abk.f. high order byte = Byte mit hoher Wertigkeit - z.B. kann man sich eine 16 Bit lange Zahl aus zwei Bytes zusammengesetzt vorstellen. Hier gibt es dann ein Byte mit hoher Wertigkeit und eines mit niedriger Wertigkeit (low order Byte).

home Ausgangsposition - z.B. Position der Schreibmarke in der linken oberen Ecke eines Bildschirmsichtgerätes. Auch als Bezeichnung für ein Steuerzeichen verwendet, das die Schreibmarke in die entsprechende Position bringt.

host computer i.e.S.: "Gastgeber, Wirt" - hier im Sinne von "Hauptcomputer" bei einem Mehrrechnersystem verwendet.

hyphenation Silbentrennung

I/O Abk.f. input/output = Ein-/Ausgabe

IC Abk.f. integrated circuit = integrierte Schaltung

ICE Abk.f. in circuit emulator - Zusatzgerät zu einem Test- oder Entwicklungssystem, das den CPU-Baustein in einer zu prüfenden Schaltung ersetzt und diesen zu Testzwecken simuliert.

identifier Kenner, Bezeichner, Name - z.B. file i. = Dateiname, -bezeichnung, variable i. = Variablenname.

immediate addressing unmittelbare Adressierung - die Adresse folgt unmittelbar nach dem Befehlscode im Programmspeicher.

impact printer - Drucker, bei dem die Zeichen durch mechanischen Anschlag auf das Papier übertragen werden.

implicite addressing implizite Adressierung - der Operationscode selbst enthält die Information über die Operanden.

in circuit emulator --> ICE

increment inkrementieren - um eine Einheit erhöhen

indent Einrückung (einer Textzeile), z.B. am Beginn eines Absatzes.

index Index

index hole Indexloch (einer Diskette) - das I. wird im Diskettenlaufwerk optisch abgetastet und liefert ein Bezugssignal für den "Spuranfang" einer Diskette. Man findet auch Disketten mit mehreren Indexlöchern ("hart sektorierte Disketten") - hier kennzeichnet jedes Loch den Anfang eines Sektors.

index register Indexregister - Register einer CPU, das hauptsächlich zur Speicherung einer Adresse für die indizierte Adressierung dient.

indexed indiziert

indexed addressing indizierte Adressierung - die Adresse eines Speicherplatzes wird nicht im Programm angegeben, sondern ist in einem besonderen Register enthalten.

indirect addressing
indirekte Adressierung - die Adresse eines Speicherplatzes steht nicht im Programm, sondern in einem anderen Speicherplatz oder Register.

indirect I/O *indirekte Ein-/Ausgabe - Verfahren, bei dem Ein- und Ausgabeoperationen nicht durch den Hauptprozessor, sondern durch einen speziellen Ein-/Ausgabekanal oder -prozessor erfolgen.*

infinite loop *Endlosschleife - ein Programmteil wird endlos wiederholt, meist verursacht durch einen Programmfehler.*

information *Information*

initialization *Initialisierung - ein Computersystem in den Ausgangszustand bringen oder Teil eines Programms, das bestimmte Ausgangsbedingungen setzt.*

initialize *initialisieren*

ink jet *Tintenstrahl(drucker) - ein Druckverfahren, bei dem feine Farbtropfen auf das Papier geschleudert werden.*

input *Eingabe*

insert *einfügen, einsetzen*

insertion *Einfügung*

instruction *Anweisung, Befehl*

instruction code *Befehlscode, Anweisungsteil - Teil eines Befehls, der die eigentliche Anweisung, also nicht die Adressinformation enthält.*

instruction cycle *Befehlszyklus - die Folge von Operationen, die benötigt wird, um einen Befehl aus dem Programmspeicher zu lesen und die darin enthaltene Anweisung auszuführen. Man unterteilt i.A. einen B. in die Befehlsaufnahme (--> instruction fetch) und in die Befehlsausführung (--> instruction execution).*

instruction decoder Befehlsdecoder - Schaltungsteil einer CPU, mit dem der Befehlscode decodiert wird und der entsprechende Steuersignale an die arithmetisch-logische Einheit gibt.

instruction execution Befehlsausführung

instruction fetch Befehlsaufnahme

instruction lookahead Befehlsvorverarbeitung - Verfahren, bei dem bereits ein neuer Befehl aus dem Programmspeicher gelesen wird, bevor die Ausführung des vorangehenden Befehls abgeschlossen ist. Durch dieses Verfahren werden kürzere Verarbeitungszeiten erreicht.

instruction register Befehlsregister - Register der CPU, in dem der Befehlscode gespeichert wird.

instruction set Befehlssatz - Gesamtheit aller Befehle, die eine CPU ausführen kann.

integer Ganzzahl

intelligent terminal intelligentes Datensichtgerät - Datensichtgerät mit besonderen Funktionen, z.B. Editiermöglichkeiten, Übertragung von Datenblöcken usw.

intercharacter spacing Zeichenabstand - der Abstand zwischen zwei Druckzeichen, gemessen von Zeichenmitte zu Zeichenmitte.

interactive interaktiv

interactive computing interaktive Verarbeitung

interactive program interaktives Programm - Programm, bei dem mit dem Bediener ein Dialog geführt wird, d.h. der Bediener wird aufgefordert, bestimmte Eingaben zu machen, danach fährt das Programm mit der Bearbeitung fort, gibt ggf. Ergebnisse aus und verlangt weitere Eingaben.

interface Adapter, Schnittstelle - mit Schnittstelle bezeichnet man den Punkt, an dem Daten von einem Gerät an ein anderes übergeben werden. An dieser Stelle müssen die Daten festgesetzte Formate, Pegel und Zeitverläufe haben, damit eine fehlerfreie Übertragung möglich ist. Mit interface bezeichnet man aber auch eine Schaltung, die die entsprechende Datenaufbereitung durchführt.

interlaced display mode Zeilensprungverfahren - Verfahren zum Bildaufbau bei Sichtgeräten, bei dem i.A. zunächst die ungeradzahligen Zeilen und dann die geradzahligen Zeilen geschrieben werden.

interpreter Interpreter - Verfahren zur Programmausführung höherer Programmiersprachen, hauptsächlich bei BASIC verwendet. Das im Quellencode gespeicherte Programm wird bei jeder Programmausführung neu übersetzt (interpretiert) und ausgeführt. Hiermit ist ein einfacher interaktiver Programmtest mit schneller Korrekturmöglichkeit gegeben. Nachteilig ist die geringere Verarbeitungsgeschwindigkeit und der größere Speicherbedarf eines Interpreterprogramms.

interleaving Sektorschachtelung - ein Verfahren bei der Formatierung von Disketten, bei denen logisch aufeinanderfolgende Sektoren nicht in physisch aufeinanderfolgender Reihenfolge angeordnet sind. Durch dieses Verfahren können logische Sektoren fortlaufend ohne Wartezeiten gelesen oder geschrieben werden.

interrupt Programmunterbrechung - Verfahren, bei dem durch ein Signal auf einer besonderen Steuerleitung der CPU der "normale" Programmablauf unterbrochen und ein besonderer Programmteil bearbeitet wird. Bei Beendigung dieses Teils wird das unterbrochene Programm an der Stelle fortgesetzt, an der es verlassen wurde.

interrupt acknowledge Unterbrechungsquittung, -bestätigung - Signal, mit dem angezeigt wird, daß die CPU eine Programmunterbrechung angenommen hat und das entsprechende Unterbrechungsprogramm bearbeitet.

interrupt mask Unterbrechungsmaske - besonderes Speicherbit in der CPU, mit der eine Programmunterbrechung gesperrt oder freigegeben werden kann.

interrupt request Unterbrechungsanforderung - dieses Signal wird von einem Peripheriegerät oder einer Peripherieschaltung erzeugt.

interrupt service routine Unterbrechungsroutine - Programmteil, der bei einer Programmunterbrechung aktiviert wird.

interrupt timer Zeitgeberbaustein - Baustein eines Mikroprozessorsystems, der nach einer programmierbaren Verzögerungszeit eine Programmunterbrechung auslöst.

interrupt vector Unterbrechungsvektor - Adresse einer Unterbrechungsroutine. Wenn in einem Mikroprozessorsystem mehrere Peripheriegeräte eine Programmunterbrechung auslösen können, muß eine Möglichkeit bestehen, festzustellen, welches Gerät die Unterbrechung anfordert. Ein Verfahren besteht darin, daß das anfordernde Gerät einen entsprechenden Unterbrechungsvektor abgibt, der von der CPU gelesen wird und eine Verzweigung in die richtige Unterbrechungsroutine bewirkt.

intersection Überschneidung, Schnittmenge - Die Schnittmenge zweier Mengen enthält genau die Elemente, die in beiden Mengen enthalten sind.

interval timer Intervall Zeitgeber - ein Hardware- oder Software-Zeitgeber, der nach einem bestimmten festen Zeitintervall eine Programmunterbrechung auslöst.

inverter Inverter, Umkehrer - Baustein zur Realisierung der logischen

"NICHT"-Funktion d.h. die Ausgangsvariable nimmt den Wert wahr an, wenn die Eingangsvariable den Wert falsch hat und umgekehrt.

invisible *unsichtbar*

I/O channel *Ein-/Ausgabekanal - eine Einheit zur Ein/Ausgabeverarbeitung, die Ein- und Ausgaben zu bzw. von einem Peripheriegerät steuert.*

IPL *Abk.f. initial program loader = Programm-Urlader - Beim Einschalten eines Rechnersystems wird das IPL-Programm aktiviert. Dieses Programm läd dann das eigentliche Betriebssystem z.B. von einer Diskette.*

IRQ *Abk.f. interrupt request = Unterbrechungsaufruf*

item *Gegenstand, Posten (einer Liste)*

jack *Buchse*

joystick *Steuerknüppel, -hebel*

jump *Sprung, meist i.S.v. Programmverzweigung*

jump instruction *Sprunganweisung*

justification *Randausgleich, Blocksatz - Möglichkeit bei Textverarbeitungssystemen, Texte so zu drucken, daß ein gleichmäßiger linker und rechter Rand entsteht, indem durch Einfügen von Leerstellen alle Zeilen auf gleiche Länge gebracht werden.*

key *Taste, Schlüssel - hier kann sowohl eine Eingabetaste als auch ein Kenn- oder Schlüsselwort z.B. bei einer Suchfunktion gemeint sein.*

key repeat *Tastenwiederholfunktion*

keyboard *Tastatur*

keybounce *Tastenprellen*

keypunch *Locher (Lochstreifen oder Lochkarte) mit Tastatur*

keystroke *Tastendruck, -anschlag*

keyword *Schlüsselwort*

kill *i.ü.S.: Löschen (einer Datei)*

kilobyte *Kilobyte - Maßangabe für die Speicherkapazität - 1 Kilobyte (KByte) entspr. 1024 Bytes.*

KSR *Abk.f. keyboard send and receive = Datenstation mit Tastatur zum Senden und Empfangen von Daten.*

label *Marke, Markierung - in Programmen wird meist die Einsprungstelle einer Programmverzweigung mit einer Marke gekennzeichnet.*

language *Sprache*

LCD *Abk.f. liquid crystal display = Flüssigkristall-Anzeige*

leader *Vorspann, Vorlauf, Präambel - bei der Datenaufzeichnung wird i.d.R. vor den eigentlichen Daten ein Block von Sonderdaten gespeichert, der z.B. Informationen über die Länge des Datenblocks und Synchronzeichen enthält.*

leading digit *führende (vorderste) Stelle einer Zahl*

leading zero *führende Null*

least significant *niedrigstwertig*

least significant bit *niedrigstwertiges Bit (Bit mit der geringsten Wertigkeit).*

LED *Abk.f. light emitting diode = Leuchtdiode*

letter quality *"Briefqualität" - ein Ausdruck mit hoher Druckqualität, z.B. von einem Typenraddrucker.*

library Bibliothek - i.S.v. Programm- bibliothek, -sammlung

LIFO Abk.f. last in first out - Bezeichnung für ein Speicherverfahren, bei dem der zuletzt eingegebene Wert auch zuerst wieder ausgelesen wird.

light pen Lichtzeiger, Lichtgriffel

limitation Begrenzung

line Leitung, Zeile

line feed Zeilenschaltung, Zeilenvorschub

line printer Zeilendrucker

link binden, verbinden, Verbindung

linker, linking loader Programmbinder - Hilfsprogramm, mit dem mehrere vorher assemblierte oder compilierte Programmabschnitte zu einem Gesamtprogramm verbunden werden, das dann in den Arbeitsspeicher geladen wird.

list Liste; auflisten, ausgeben (auf einem Drucker oder Bildschirm)

listing Ausdruck, Ausgabe

literal Literal, Buchstabensymbol

load laden (von Programmen oder Daten)

loader Lader, Ladeprogramm - Hilfsprogramm, mit dem ein anderes Programm von einem Datenträger in den Rechner geladen wird.

LOB Abk.f. low order byte - Byte mit der geringsten Wertigkeit

local lokal - z.B. lokale Variable sind solche, die nur in einem bestimmten Programmteil einen gültigen Wert haben.

lock Sperre, Schloß

lock out sperren, blockieren

logic Logik

logic analyzer Prüfgerät für logische Schaltungen

logic shift logisches Schieben - der Inhalt eines Registers oder Speicherplatzes wird um eine Stelle nach rechts oder links geschoben. Das "freiwerdende" Bit wird auf Null gesetzt.

logical address logische Adresse - eine Methode zur Adressierung von Daten und/oder Programmbefehlen, die unabhängig von der physischen Speicherstruktur eines Computersystems ist. So kann z.B. eine logische Adresse als "Wort 5 im Speichersegment A" angegeben werden. Wenn das Programm ausgeführt wird, erfolgt dann durch Hard- oder Software eine Umsetzung der logischen Adressen in physische Adressen.

logical record logischer Datenblock - bei der Aufzeichnung von Daten auf einen magnetischen Träger unterscheidet man zwischen logischen Datenblöcken in denen sinngemäß zueinandergehörende Daten zusammengefasst sind und physikalischen Datenblöcken, in denen die Daten so angeordnet sind, wie sie tatsächlich aufgezeichnet werden.

LOGO - Programmiersprache hauptsächlich für Ausbildungszwecke, entwickelt am Massachusetts Institute of Technology (MIT). Schwerpunktmäßig werden Grafikfunktionen ("turtlegraphics") unterstützt. LOGO verfügt über wichtige Eigenschaften moderner Programmiersprachen, wie Prozeduren, Rekursionen, lokale und globale Variable usw. Eine Version in deutscher Sprache ist ebenfalls verfügbar.

look-up table Tabelle - In einer solchen Tabelle können z.B. Sprungadressen oder die Werte einer Funktion stehen. Entsprechend einem gegebenen Eingangswert wird programmgesteuert ein dazugehöriger Wert aus der Tabelle gelesen.

loop (Programm-)Schleife

loop counter
Schleifenzähler, Zähler für Schleifendurchläufe

low order niedrige Wertigkeit

lower case Kleinschrift

LSB Abk.f. least significant bit - Stelle mit der niedrigsten Wertigkeit.

LSD Abk.f. least significant digit - (Dezimal-) Stelle mit der niedrigsten Wertigkeit.

LSI Abk.f. large scale integration - Bezeichnung für Halbleiterbauteile mit sehr hohem Integrationsgrad.

machine code Maschinencode - Darstellung eines Programms in einer Form, die direkt von einem Rechner verarbeitet werden kann.

machine instruction
Maschinenbefehl

machine language Maschinensprache - ein in M. geschriebenes Programm kann direkt von einem Prozessor verarbeitet werden, ohne daß eine Übersetzung oder Interpretierung erforderlich ist.

machine program Maschinenprogramm --> machine language

macro Makro - ein Programmabschnitt in Assemblersprache, der einmal definiert und mit einem Namen versehen wird. An anderen Stellen des Programms kann dieser Programmabschnitt durch Angabe des Namens eingefügt werden, ohne daß der Programmcode erneut eingegeben werden muß.

macro assembler Makro Assembler - Assemblerprogramm, das die Verwendung von Makros zuläßt.

macro call Makro-Aufruf - Stelle in einem Assemblerprogramm an der ein Macro eingefügt werden soll --> macro.

macro instruction Makro Befehl - Code in einem Assemb-

lerprogramm, der die Einfügung eines Makros bewirkt.

magnetic head *Magnetkopf (bei einem Disketten- oder Kassettenlaufwerk).*

main memory *Haupt- (Arbeits-) Speicher - Speicherbereich in einem Rechner, in dem die aktuellen Daten enthalten sind und verarbeitet werden. Hier ist außderdem oft auch das laufende Programm gespeichert.*

main program *Hauptprogramm - Im Zusammenhang mit Unterprogrammen spricht man oft von einem Hauptprogramm, das ist das Programm, aus dem Unterprogramme aufgerufen werden.*

main storage *Hauptspeicher, Hauptspeicherbereich*

mainframe *Aufbaurahmen - Bezeichnung für einen Rechner, der (meist in Steckkartentechnik) in einem Gehäuse aufgebaut ist. Die Ein-/Ausgabegeräte (z.B. Datenterminal) sind als getrennte Einheiten angeschlossen.*

mandantory *zwingend notwendig, erforderlich - z.B. eine Eingabe oder Programmänderung.*

manipulation *Manipulation, Änderung, Bearbeitung - z.B. bit manipulation = bitweise Bearbeitung von Daten.*

mantissa *Mantisse - bei einer Zahl in Exponential-Darstellung unterscheidet man zwischen der Mantisse und dem Exponenten.*

manual *Handbuch, adj.: per Hand*

map *Karte, Übersichtstafel*

margin *Rand bei einem gedruckten Dokument*

marker *Markierung, Merker*

mask *Maske, maskieren - z.B. to mask a bit = ein bestimmtes Bit in einem Datenwort mit einer UND-Verknüpfung isolieren.*

maskable maskierbar

maskable interrupt maskierbare Programm-Unterbrechung - die Möglichkeit einer Programm-Unterbrechung kann per Programm gesperrt oder freigegeben werden.

masking Maskierung

mass storage Massenspeicher - Speicher, in dem große Datenmengen gespeichert werden können, meistens auf magnetischer Basis (Diskette, Kassette, Festplatte).

match Übereinstimmung, übereinstimmen, passen

matrix Matix - Anordnung in Zeilen und Spalten

memory Speicher

memory location Speicherplatz

memory map Speicherübersicht - Darstellung, wie die Bereiche eines Speicherblock genutzt werden oder belegt sind.

memory mapped I/O Speicher-Ein-/Ausgabe - Ein- und Ausgabekanäle werden durch das Prozessorsystem genauso adressiert wie Speicherplätze. Im Gegensatz dazu werden bei der isolierten Ein-/Ausgabe getrennte Steuerleitungen aktiviert und besondere Ein-/Ausgabebefehle verwendet.

memory protection Speicherschutz - ein Speicher oder Speicherbereich wird gegen Verändern geschützt (meist durch eine entsprechende Hardware-Schaltung).

menu Menue, Auswahltabelle

merge verschmelzen, mischen - z.B. zwei Programmteile werden zu einem größeren Programm zusammengefügt.

message Meldung - z.B. error message = Fehlermeldung

MFM Abk.f. modified frequency modulation - Bezeichnung für ein Speicherverfahren auf Disketten, verwendet bei doppelter Datendichte.

dichte.

micro instruction Mikrobefehl - in einem Mikroprozessor wird durch den Hersteller ein festes Mikroprogramm gespeichert, das aus Mikrobefehlen besteht.

micro program Mikroprogramm - Programm, das fest in einem Mikroprozessor enthalten ist. Dieses Programm steuert die internen Abläufe in der CPU und bewirkt die richtige Ausführung der einzelnen Befehle des Befehlssatzes.

microcomputer Mikrocomputer - Bezeichnung für ein in sich funktionsfähiges System, bestehend aus dem Mikroprozessorbaustein und den erforderlichen Speicher- und Ein-/Ausgabebausteinen.

microcomputer development system Mikrocomputer Entwicklungssystem - ein Gerätesystem, das hauptsächlich zur Unterstützung beim Entwurf und bei der Entwicklung von Mikroprozessorsystemen dient. Derartige Systeme bieten Hilfen zur Überprüfung von Hard- und Software.

microprocessor Mikroprozessor

minicomputer Minicomputer - Klein-, Tischrechner; die Grenze zwischen Mikro- und Minicomputer ist heute kaum noch zu definieren, da die Mikrocomputersysteme in Kapazität, Leistungsfähigkeit und Verarbeitungsgeschwindigkeit teils sogar die sogenannten Minicomputer übertreffen

mnemonic Mnemonik - Bezeichnung für einen Maschinenbefehl, dargestellt durch eine kurze Folge von Buchstaben, die leichter zu merken ist als der entsprechende Hexadezimal- oder Binärcode.

mode Modus, Betriebsart

modem Abk.f. modulator-demodulator - Gerät zur Ankopplung eines Rechners an eine Datenfernübertragungs-

leitung. Die Daten werden als verschieden hohe Tonfrequenzen codiert und übertragen.

modification *Modifikation, Änderung*

module *(Programm-)Modul - ein Programmabschnitt mit exakt definierten Einsprung- und Rücksprungpunkten, der unabhängig von anderen Programmabschnitten getestet werden kann.*

monitor *Monitor, Datensichtgerät, aber auch verwendet i.S.v. Monitorprogramm*

monitor program *Monitorprogramm - Programm, das die Funktionen eines Systems überwacht und steuert und mit dem grundlegende Funktionen ausgeführt werden wie z.B. das Laden eines anderen Programms.*

most significant *höchstwertig*

most significant bit *höchstwertiges Bit - Bit, das bei einer Dualzahl ganz links steht.*

motherboard *Grundkarte - Platine bei einem aus Steckkarten aufgebauten System, die zur Verbindung der einzelnen Karten untereinander dient.*

mount *montieren, einsetzen*

move *verschieben - z.B. Daten von einem Speicherbereich in einen anderen.*

MPU *Abk.f. microprocessing unit - Bezeichnung für den Mikroprozessor-Baustein*

MSB *Abk.f. most significant bit - höchstwertiges Bit*

MSD *Abk.f. most significant digit - (Dezimal-) Stelle mit der höchsten Wertigkeit*

MTBF *Abk.f. mean time between failure = mittlere Zeit zwischen zwei Fehlern - Bezeichnung zur Angabe der Betriebssicherheit eines Gerätes oder Bauelementes.*

multi level interrupt Mehr-Ebenen Programmunterbrechung - verschiedene externe Einheiten können eine Programm-Unterbrechung auslösen. Die einzelnen Einheiten werden dabei mit unterschiedlicher Priorität behandelt. So kann eine Einheit mit höherer Priorität ein laufendes Unterbrechungsprogramm für ein Gerät geringerer Priorität unterbrechen und einen Sprung in die "zuständige" Unterbrechungsroutine bewirken.

multi-user system Mehrbenutzersystem - ein Rechner bedient scheinbar gleichzeitig mehrere Peripheriegeräte (z.B. Datenterminals). Tatsächlich wird in schnellem Wechsel zwischen den einzelnen Geräten umgeschaltet.

multiple pass assembler Assembler mit mehreren Durchläufen - die Übersetzung eines in Assemblersprache geschriebenen Programms erfolgt i.A. in mehreren Durchläufen, bei denen jeweils das Quellenprogramm gelesen wird. So werden z.B. im ersten Durchlauf alle Adressmarken (Labels) erkannt und zusammen mit ihrer Adresse in der Symboltabelle gespeichert. Im zweiten Durchlauf werden die mnemonischen Codes in die Maschinencodes übersetzt und an Stelle der symbolischen Adressen die tatsächlichen Adressen eingesetzt.

multiplexed bus Multiplex-Bus - bei derartigen Bussystemen werden über dieselben elektrischen Leitungen Adress- oder Datensignale geleitet. Sie werden häufig bei integrierten Schaltungen eingesetzt, um die Zahl der erforderlichen Gehäuseanschlüsse zu reduzieren.

multiplexer Multiplexer, Datenschalter - Baustein, mit dem Signale von verschiedenen Eingängen auf unterschiedliche Ausgangsleitungen umgeschaltet werden können. Die Steuerung des Multiplexers erfolgt über binäre Steuereingänge.

multiprocessor system Mehrprozessorsystem - System, in dem mehrere Mikroprozessoren eingesetzt sind, die jeder für sich bestimmte Teilaufgaben ausführen und auf gemeinsame Speicher zugreifen können. Meist findet man einen Hauptprozessor, der die Ablaufsteuerung des Gesamtsystems übernimmt.

multiprogramming Mehrprogramm-Betrieb - In einem Rechnersystem laufen scheinbar mehrere Programme gleichzeitig ab. Tatsächlich wird in schnellem Wechsel zwischen der Bearbeitung der einzelnen Programme umgeschaltet.

multistrike ribbon Farbband für Mehrfachanschlag

multitasking --> multiprogramming

NAND NAND, NICHT UND - Bezeichnung für eine logische Verknüpfung, die eine UND-Verknüpfung mit nachfolgender Negation darstellt: der Zustand der Ausgangsvariablen ist dann und nur dann unwahr, wenn gleichzeitig alle Eingangsvariablen den Zustand wahr annehmen.

NAND gate NAND-Gatter - Bezeichnung für die schaltungstechnische Realisierung der NAND-Funktion.

negative negativ

nesting Schachtelung, schachteln - z.B. Schachtelung von Unterprogrammen: ein Unterprogramm ruft seinerseits ein weiteres Unterprogramm auf, welches ggf. wiederum ein Unterprogramm aufruft usw.

nesting depth Schachtelungstiefe - die Anzahl der zu einem Zeitpunkt gleichzeitig aktiven Unterprogramme oder Prozeduren. Wenn z.B. eine Prozedur A ihrerseits eine Prozedur B aufruft und diese wiederum eine Prozedur C anspricht, liegt eine Schachtelungstiefe von 2 vor.

nesting level Schachtelungsebene, -stufe

network Netzwerk - ein System zur Datenübertragung, bei dem mehrere Systeme über mehrere, oft vermaschte Verbindungen zusammengeschaltet sind.

nibble Halbbyte - Bezeichnung für die vorderen oder hinteren vier Bit eines Bytes.

NMI Abk.f. nonmaskable interrupt - nicht maskierbare Programmunterbrechung

non volatile nicht flüchtig - z.B. n. v. memory: ein Speicher, dessen Inhalt auch bei Wegfall der Versorgungsspannung nicht verlorengeht.

non maskable interrupt --> NMI

NOR NICHT ODER - Bezeichnung für eine logische Verknüpfung, dargestellt durch eine ODER-Verknüpfung mit nachfolgender Negation: der Zustand der Ausgangsvariablen nimmt dann und nur dann den Zustand unwahr an, wenn mindestens eine Eingangsvariable den Zustand wahr hat.

NOR gate NOR-Gatter - Bezeichnung für die schaltungstechnische Realisierung der NOR-Funktion.

normalized normalisiert - eine Form der Darstellung von Fließkommazahlen durch Mantisse und Exponent. Dabei wird durch Wahl eines geeigneten Exponenten erreicht, daß das höchste Bit der Mantisse stets gesetzt ist. Durch dieses Verfahren werden unterschiedliche Darstellungsformen wertmäßig gleicher Zahlen vermieden und höhere Genauigkeiten erreicht.

notation Notation, Schreibweise

nucleus Kern - der Teil eines Programms, in dem die Funktionen enthalten sind, die die wesentlichen Abläufe des Programms bestimmen. Außerhalb des Programmkerns findet man Hilfsfunktionen, z.B. zur Ein- und Ausgabe von Daten.

number Nummer, Zahl

number crunching Zahlenverarbeitung

numeric numerisch

object code Objektcode - Code, der als Ergebnis eines Compilers oder Assemblers entsteht. Dieser Code kann normalerweise geladen und unmittelbar vom Mikroprozessor verarbeitet werden.

object file Objektdatei - Datei, in der ein Programm in Objektform ge- speichert ist.

octal oktal - Bezeichnung für ein Zahlensystem mit der Basis acht.

odd ungerade

odd number ungerade Zahl

odd parity ungerade Parität - ein Datenwort wird duch ein Paritätsbit so ergänzt, daß die Summe der auf Eins gesetzten Bits eine ungerade Zahl ergibt.

OEM Abk.f. original equipment manufaturer - Hersteller, die eigene Geräte fertigen und in diese (OEM-)Baugruppen eines anderen Herstellers einbauen.

off-line Bezeichnung für einen Zustand oder Betrieb, bei dem ein Datengerät keine aktive Verbindung zum Rechner hat.

off-the-shelf Verkauf "über die Ladentheke"

offset value Versatz

omit weglassen

on-line Bezeichnung für einen Zustand oder einen Betrieb, bei dem ein Datengerät direkten Datenaustausch mit dem Rechner durchführt.

one pass assembler Assembler mit einem Durchlauf

one's complement Einerkomplement - die Bildung des

Einerkomplements erfolgt bei Dualzahlen durch Umkehren aller Null-Bits in Eins-Bits und umgekehrt. So ist z.B. das Einerkomplement von 10010110 gleich 01101001.

op-code Befehls-, Operationscode - Teil eines Maschinenbefehls, der die gewünschte Funktion angibt. Zu diesem Befehlscode können weitere Informationen z.B. Adressen oder Daten erforderlich sein.

open öffnen, eröffnen - z.B. to open a file = eine Datei eröffnen - Wenn Daten aus einem Programm in eine Datei (z.B. auf Diskette) zu übertragen sind, so werden diese zunächst in einen Puffer im RAM geschrieben. Erst wenn dieser Puffer angefüllt ist, erfolgt das eigentliche Schreiben auf den Datenträger. Mit einer OPEN-Anweisung wird ein solcher Pufferspeicher reserviert --> close.

operand Operand

operating system Betriebssystem - Programm, das die Grundfunktionen eines Rechnersystems ausführt, wie z.B. Steuerung der Ein-/Ausgabegeräte, Schreiben und Lesen von Disketten und Verwaltung des Disketten-Speicherbereiches und der Dateien.

operation code Befehls-, Operationscode --> op-code

optical isolator Optokoppler

option Option, Wahlfunktion

optional optional, wahlweise, freigestellt

OR ODER - Logische Verknüpfung, bei der die Ausgangsvariable dann und nur dann den Zustand wahr annimmt, wenn mindestens eine Eingangsvariable den Zustand wahr hat.

OR gate ODER-Gatter - Bezeichnung für die schaltungstechnische Realisierung der ODER-Funktion.

order Anweisung, Bestellung, Reihenfolge

output Ausgabe

overflow Überlauf - ein U. tritt z.B. bei arithmetischen Operationen auf, wenn das Ergebnis mehr Stellen besitzt, als in der festgelegten Wortlänge darstellbar sind.

overlay i.e.S.: "überlagern, belegen" - man spricht z.B. von einem program overlay = der Teil eines laufenden Programms wird von einem anderen Programmteil überschrieben, der von einem externen Speicher gelesen wird. Damit ist es möglich, in einem Arbeitsspeicher begrenzter Kapazität, umfangreiche Programme zu betreiben.

overstrike überdrucken

oxide Oxid

pack packen, komprimieren - Verfahren zur Speicherung von Informationen mit möglichst geringem Speicherbedarf, indem überflüssige Zeichen weggelassen werden.

packed gepackt, komprimiert

pad auffüllen

page Seite - oft auch als Bezeichnung für einen Speicherblock von 265 Bytes Länge im Adressbereich xx00 bis xxFF. (xx gibt dabei die "Speicherseite" an).

pagination Paginierung - Aufteilen eines Textes in einzelne Seiten.

paging Seitendarstellung - Verfahren, bei dem ein längerer Text auf einem Bildschirm dargestellt wird, indem man den Bildschirm als "Fenster" betrachtet, das über dem Text verschoben werden kann.

paper punch Stanzer, Locher

paper tape Lochstreifen

paper tape punch Lochstreifenstanzer

paper tape reader Lochstreifenleser

parallel parallel - z.B. parallele Datenübertragung: die Übertragung von Datenbits erfolgt gleichzeitig auf einzelnen Leitungen oder Kanälen; parallele Verarbeitung: die Verarbeitung von Daten erfolgt byte- oder wortweise im Gegensatz zur seriellen Verarbeitung, bei der jedes Bit einzeln bearbeitet wird.

parallel operation parallele Betriebsart

parallel processing Parallelverarbeitung - ein Verfahren zur Erhöhung der Verarbeitungsgeschwindigkeit, indem mehrere ALUs (--> arithmetic logic unit) in einem Prozessor oder mehrere Prozessoren in einem System eingesetzt werden. Die ALUs bzw. Prozessoren arbeiten parallel bzw. gleichzeitig.

parameter Parameter

parenthesis Klammerung (i.A. mit runden Klammern)

parity Parität

parity bit Paritätsbit

parity check Paritätsprüfung - einem Datenwort können ein oder mehrere Paritätsbits nach einem bestimmten Schema zugeordnet werden. Damit ist es möglich, bei der Datenübertragung eine Fehlerprüfung und je nach Anzahl der Paritätsbits auch eine Fehlerkorrektur durchzuführen.

PASCAL Höhere Programmiersprache, entworfen durch N. Wirth

pass Durchlauf, Durchgang

password i.e.S.: "Losung, Parole" - verwendet zum Schutz von Dateien oder Datenspeichern vor unberechtigtem Zugriff. Nur Anwendern, die das richtige Schutzwort eingeben wird der Zugriff ermöglicht.

patch i.e.S.: "flicken" - Korrektur eines Programms durch direktes Ändern des Objektcodes

pattern Muster

pause anhalten, Pause

PC board Abk.f. printed circuit board - gedruckte Schaltung

peripheral peripher

peripheral device Peripheriegerät - ein eletronisches oder elektromechanisches Gerät, wie z.B. Drucker, Datensichtgerät, Kartenleser oder Lochstreifenstanzer, das an einen Computer angeschlossen ist.

peripheral storage device periphere Speichereinheit

peripherals Peripheriegeräte

permanent storage dauerhafte Speicherung, dauerhafter Speicher

phototypesetting Lichtsatz

physical address physische Adresse - die Adresse eines in einem System tatsächlich vorhandenen Speicherplatzes im Gegensatz zu --> logical address.

PIA Abk.f. parallel interface adapter - paralleler Ein-/Ausgabebaustein

PILOT höhere Programmiersprache - durch einfache Möglichkeiten, Dialoge zu programmieren, hauptsächlich im Bereich der computergetützten Ausbildung einsetzbar.

pin feed Stachelantrieb - Transportmechanismus bei einem Drucker für randgelochtes Endlospapier.

pipelining - Arbeitsweise eines Computers, bei der voneinander unabhängige Operationen zeitlich überlappen. Pipelining kann in jedem

System durchgeführt werden, das aus voneinander unabhängig funktionierenden Baugruppen besteht. Wenn eine Baugruppe eine Aufgabe erledigt hat, wird das Ergebnis an eine andere Baugruppe weitergegeben, so daß die erste Baugruppe ihre Aufgabe erneut mit neuen Daten ausführen kann. Eine typische Anwendung ist das Überlappen von Befehlsaufnahme und -ausführung in einem Computersystem (--> instruction lookahead).

pitch Druckweite - Anzahl der Druckzeichen pro Längeneinheit, z.B. 10, 12 oder 15 Zeichen/Zoll.

pixel Bildpunkt

PL/1 höhere Programmiersprache (programming language 1)

PL/M Bezeichnung für eine Programmiersprache, ähnlich PL/1, abgestimmt auf Microcomputersysteme.

PLA Abk.f. programmable logic array - Baustein, der eine Anzahl von Logikfunktionen enthält, die durch Programmierung untereinander "verdrahtet" werden können.

platen Gummiwalze in einem Drucker - diese Walze erfüllt folgende Aufgaben: (1) Transport des Papiers, (2) Anschlagfläche für die Drucktypen oder -nadeln, (3) Dämpfung der Drucktypen oder -nadeln zur Geräuschreduzierung.

plotter Plotter - Peripheriegerät zur grafischen Ausgabe

plug Stecker

point Punkt

pointer Zeiger - ein Datenelement, das die Adresse eines anderen Datenelementes oder einer Datenstruktur enthält. Wenn ein Z. für den Datenzugriff verwendet wird, benutzt das System automatisch die im Z. enthaltene Adresse, um die Daten aufzufinden.

polling i.e.S.: "wählen, abrufen" - bezeichnet eine Methode bei der verschiedene an einer Datenleitung angeschlossene Peripheriegeräte periodisch abgefragt werden, ob sie Daten abgeben wollen. Auch bei Programmunterbrechung durch Peripherie-Einheiten verwendet. Hier wird bei Auslösung einer Unterbrechung jedes angeschlossene Gerät abgefragt, ob es die Unterbrechung ausgelöst hat.

port Ein- oder Ausgangskanal

position Position, Lage

position independent code verschiebbarer Code - ein Programmcode, der ohne Änderung in einem beliebigen physischen Adressbereich eines Systems ausgeführt werden kann --> relocatable.

power Leistung, allgemein auch Netzversorgung, Spannungsversorgung

power fail Ausfall der Spannungsversorgung

power on Bezeichnung für die Vorgänge, die beim Einschalten der Stromversorgung eines Systems ablaufen.

power up --> power on

powerful leistungsfähig

precision Genauigkeit

predecessor Vorgänger - Element einer Liste, das einem bestimmten Element vorangeht, so ist z.B. der Buchstabe A Vorgänger von B.

prefetching Vorab-Befehlsaufnahme - Verfahren, bei dem die Befehlsaufnahme bereits vor dem Zeitpunkt erfolgt, zu dem sie tatsächlich erforderlich ist --> instruction lookahead, pipelining.

primary store Primärspeicher - ein anderer Begriff für Hauptspeicher (--> main memory).

prime number Primzahl

prefix Präfix, Vorsilbe

primary primär, hauptsächlich

print drucken, Ausdruck

print head Druckkopf

printed circuit board gedruckte Schaltung

printer Drucker

printout Ausdruck - Ausgabe eines Druckers

priority Priorität, Vorrang

priority interrupt Prioritäts-Programmunterbrechung - ein laufendes Programm zur Bearbeitung einer Programmunterbrechung wird durch eine weitere Programmunterbrechung mit höherer Priorität verlassen.

procedure Prozedur - ein unabhängiges Programm-Modul, das eine bestimmte Funktion ausführt. Prozeduren werden bei Bedarf von anderen Programmabschnitten aufgerufen.

processing Verarbeitung

processor Prozessor - eine Baugruppe, die die einzelnen Befehle für eine bestimmte Aufgabe ausführen kann. Es wird jeweils ein Befehl nach dem anderen bearbeitet.

processor status word, PSW Prozessor-Zustandswort - ein Register in einem Prozessor, das Zustandsinformationen enthält. Der Zustand ist i.A. vom Ergebnis der letzten arithmetischen oder logischen Operation abhängig (z.B. Überlauf, Null, Vorzeichen usw.).

program Programm - eine Folge von sinnvoll geordneten Anweisungen zur Lösung einer bestimmten Aufgabe durch einen Rechner.

program counter Programmzähler - Register in einer CPU, das die Adresse des nächsten zu bearbeitenden Befehls enthält.

programm file Programm-datei

program listing Programm-Ausdruck

program module Programm-Modul - in sich abgeschlossener Teil eines Programms

program storage Programm-speicher

programmable timer programmierbarer Zeitgeber

programmer Programmierer, Gerät zum Programmieren von Festwertspeichern

programming language Programmiersprache

PROM Abk.f. programmable read only memory = programmierbarer Festwertspeicher - ein Speicherbaustein, dessen Inhalt einmal programmiert wird und der auch bei Ausfall der Versorgungsspannung nicht verlorengeht.

prompt Meldung, meist als Aufforderung an den Bediener, bestimmte Informationen einzugeben.

proofreading Korrektur lesen

proportional printing Proportionaldruck - ein Druckverfahren, bei dem die Zeichen unterschiedliche Abstände voneinander haben, abhängig von der jeweiligen Zeichenbreite.

protect schützen

protected memory geschützter Speicher - ein gegen Uberschreiben geschützter Speicher oder Speicherbereich

protocol Protokoll - die Regeln, nach denen Nachrichten, die Informationen enthalten, zwischen Computersystemen übertragen werden. Hiermit werden die Spannungspegel, Nachrichtenformate und -inhalte sowie Verfahren zur Fehlererkennung und -korrektur festgelegt.

prototyping system Entwicklungssystem - Rechnersystem

mit besonderer Ausrüstung an Hardware und Software zur Programm-Entwicklung und Fehlersuche.

pseudo code *Pseudocode - Anweisung in einem Assemblerprogramm, die nicht zum Befehlsvorrat des Prozessors gehört, sondern eine bestimmte Funktion des Assemblers veranlasst.*

pseudo instruction *Pseudoanweisung --> pseudo code*

PSW *Abk.f. --> processor status word*

punch *Stanzer, Locher*

purpose *Zweck, Aufgabe*

quantity *Menge, Wertebereich, Zahl*

quartz *Quarz, Schwingquarz*

queue *Warteschlange, Schlange - z.B. eine Datenstruktur, bei der das zuerst eingegebene Element auch als erstes wieder ausgelesen wird.*

quick sort *- Bezeichnung für einen schnellen Sortier-Algorithmus*

quit *beenden, abbrechen*

quoted string *Zeichenfolge, durch Anführungszeichen eingeschlossen*

R/W head *Abk.f. read/ write head = Schreib-/ Lesekopf*

radian *Bogenmaß (eines Winkels)*

RAM *Abk.f. random access memory = i.e.S.: Speicher mit wahlfreiem Zugriff. Diese Bezeichnung ist jedoch irreführend. Gemeint ist hier ein Schreib-/Lesespeicher; andererseits ist auch ein Festwertspeicher durchaus ein Speicher mit wahlfreiem Zugriff d.h. eine Speicherzelle kann direkt adressiert und angesprochen werden, ohne daß dazu erst andere Speicherzel-*

len gelesen werden müssen.

random wahlfrei, zufällig

random access wahlfreier Zugriff

random file Datei mit wahlfreiem Zugriff - jeder beliebige Datensatz der Datei kann direkt gelesen oder geschrieben werden, ohne daß dazu vorher andere Datensätze gelesen werden müssen.

random seed Ausgangswert zur Erzeugung von Zufallszahlen

range Bereich, Wertebereich

RAS Abk.f. row address strobe - Steuersignal bei Speicherbausteinen, besonders bei dynamischen RAMs.

RATFOR Abk.f. rational FORTRAN - Bezeichnung für einen Sprachzusatz zu FORTRAN, der u.a. strukturierte Programmierung erlaubt.

ready fertig, bereit - ein Signal, das von Peripheriegeräten benutzt wird um anzuzeigen, daß Bereitschaft zur Datenübernahme gegeben ist.

read lesen

read/write memory Schreib-/Lesespeicher

reader Leser zum Lesen von Datenträgern, z.B. Lochkarten oder -streifen

real real, echt

real time Echtzeit

real time clock Echtzeituhr

real time processing Echtzeitverarbeitung - ein Programm arbeitet so schnell, daß es z.B. direkt ohne Zeitverzug die Steuerung von Prozessen übernehmen kann.

real time program Echtzeitprogramm --> real time processing

recall zurückrufen, abrufen, Abruf

receive empfangen

record Datensatz

recursive rekursiv - eine Prozedur bezeichnet man als r., wenn diese sich direkt oder indirekt über eine andere Prozedur aufruft.

recursive procedure rekursive Prozedur

redundance Redundanz - Teil einer Nachricht, die keine Information enthält

reentrant reentrant - ein Programmabschnitt ist reentrant, wenn er unabhängig von verschiedenen anderen Programmabschnitten aufgerufen werden kann. Ein solcher Programmabschnitt darf sich nicht selbst ändern und muß seinen eigenen Datenspeicherbereich verwalten. Wird z.B. ein Unterprogramm von mehreren Programmteilen aufgerufen, so muß sichergestellt sein, daß durch seine Abarbeitung keine Daten oder Befehle verändert werden, die von den aufrufenden Programmteilen noch benötigt werden.

reference Referenz, Bezug, Verweis, Querverweis

refresh auffrischen - z.B. einen dynamischen Speicher

reformat umformatieren

register Register - Speicherplatz, der i.A. in der CPU enthalten ist und direkt durch Programmbefehle angesprochen wird, ohne daß eine besondere Adressangabe au machen ist.

register addressing Register-Adressierung - ein Adressierungsverfahren, bei dem der Operand bzw. die Operanden in CPU Registern enthalten sind.

register set Registersatz - die Gruppe von Registern, die durch --> register addressing erreicht werden können. Einige Prozessoren enthalten zwei oder mehrere gleichwertige Registersätze, zwischen denen durch besondere Anweisungen umgeschaltet werden kann.

relative address relative Adresse - die Adresse eines Speicherplatzes oder einer Programmverzweigung wird als Versatz zum aktuellen Inhalt z.B. des Programmzählers angegeben.

relative addressing relative Adressierung

relative jump relativer Sprung - Sprung mit relativer Angabe der Sprungadresse

relocatable relokatierbar, verschiebbar - ein Maschinenprogramm ist so geschrieben, daß es ohne Änderung von Programmbefehlen in einem anderen Speicherbereich lauffähig ist. Meist wird in solchen Programmen mit relativen Adressen gearbeitet.

relocate verschieben, relokatieren, in einen anderen (Speicher-) Bereich übertragen

relocating loader relokatierender Programmlader - Hilfsprogramm, das Objektprogramme von einem Datenträger in den Speicher läd und verschiebt.

remainder Rest

remark Anmerkung, Bemerkung - oft Programmteil, der bei der Ausführung nicht beachtet wird.

rename umbenennen - z.B. eine Datei

renumber um-, neu numerieren

repeat wiederholen

repeating key Taste mit Wiederholfunktion

replace ersetzen

replacement Ersatz

representation Darstellung - das Verfahren, nach dem Informationen in einem Computersystem codiert werden.

request Anforderung - ein Signal das entweder von einer Hardware oder einem Programmabschnitt erzeugt wird und das anzeigt, daß eine bestimmte Reaktion des Systems erwartet wird, z.B. --> interrupt request.

reserve reservieren

reset (zu-)rücksetzen

resident resident - ein bestimmtes Programm oder Programmteil ist im Arbeitsspeicher vorhanden

restore zurücksetzen, in Ausgangslage setzen

retrieve zurückholen, wiedergewinnen

return zurückkehren, -springen, Rücksprung

return address Rücksprungadresse (aus einem Unterprogramm)

reverse video umgekehrte (inverse) Zeichendarstellung auf einem Bildschirm, z.B. dunkel auf hellem Hintergrund, wenn normalerweise Zeichen hell auf dunklem Hintergrund abgebildet werden.

ribbon Band, Farbband

ribbon cable Band-, Flachkabel

RO Abk.f. receive only = nur Empfang - Bezeichnung für ein Peripheriegerät, das Daten nur aufnehmen und nicht abgeben kann.

ROM Abk.f. read only memory = Nur-Lese-Speicher, Festwertspeicher - ein solcher Speicher behält die enthaltene Information auch bei Ausfall der Spannungsversorgung bei.

root Wurzel

rotate rotieren - u.a. Bezeichnung für einen Befehl, mit dem die Bits eines Speichers zyklisch vertauscht werden.

round rund, runden

round down abrunden

round up aufrunden

rounding Rundung

route (um-)leiten, umdirigieren - z.B. Daten, die eigentlich auf dem Drucker ausgegeben werden, auf dem Bildschirm anzeigen.

routine Routine, oft Bezeichnung für ein Unterprogramm

row Reihe, Zeile

royalty Tantieme

RPG höhere Programmiersprache (report generator)

RS-232 Bezeichnung für eine Norm, mit der Schnittstellen für die serielle Datenübertragung definiert werden.

run laufen, Programmlauf, -durchlauf

run-time Programmlauf - der Zeitraum, in dem ein Programm tatsächlich ausgeführt wird. Wenn während dieser Zeit ein Fehler auftritt, spricht man von einem run-time Fehler.

S-100 bus Bezeichnung für ein Bussystem zur Verbindung von Mikrocomputer-Steckkarten untereinander. Das System basiert auf einem 100-poligen Direkt-Steckverbinder. Festgelegt sind die Belegung des Steckers mit den verschiedenen Signalen (Adressen, Daten und Steuerung) und die zeitlichen Abläufe.

save sichern, speichern, retten

scratch pad memory "Notizblock Speicher" - Speicherbereich, in dem Daten kurzfristig bis zur Weiterbearbeitung zwischengespeichert werden.

screen Schirm, Bildschirm, Abschirmung

scroll rollen - z.B. den

auf einem Bildschirm angezeigten Text um eine Zeile nach oben oder unten verschieben.

SDLC *Abk.f. synchronous data link control = synchrone Steuerung der Datenübertragung - ein Übertragungsprotokoll für die Datenübertragung mit hoher Geschwindigkeit.*

search *suchen*

sector *Sektor, Abschnitt - der kleinste ansprechbare zusammenhängende Speicherbereich auf einem magnetischen Speichermedium. Die typische Länge von Sektoren auf einer Diskette liegt z.B. zwischen 128 und 4096 Bytes.*

seed *Anfangs-, Ausgangswert*

seek *suchen*

segment *(Programm)abschnitt - ein vom Anwender frei definierbarer Abschnitt mit Daten oder Anweisungen, der als unabhängige Einheit arbeitet. Ein solches Segment kann an beliebiger Stelle im Hauptspeicher stehen.*

select *auswählen, anwählen (z.B. chip select = Bausteinauswahl - Steuerleitung, über die ein Baustein aktiviert wird).*

selftest *Selbsttest - mit einem speziellen Programm führt ein Mikroprozessorsystem eine Funktionsprüfung seiner wichtigsten Komponenten durch.*

self-modifying code *sich selbst ändernder Code - ein Abschnitt mit Programmanweisungen, der u.a. bewirkt, daß bei Ausführung Teile innerhalb dieses Abschnittes verändert werden. Derartige Codes können nicht in einem Festspeicher abgelegt werden und sie sind nicht --> reentrant.*

semiconductor *Halbleiter*

separator *Separierer - z.B. data separator = Datenseparierer - Schaltung mit der Daten- und Taktsignale beim Lesen einer Diskette ge-*

trennt werden.

sequencer Zeitsteuerung, Ablaufsteuerung

sequential file sequentielle Datei - die einzelnen Datensätze einer Datei werden einer nach dem anderen geschrieben und können auch nur in dieser Reihenfolge gelesen werden.

serial seriell - (1) Arbeitsweise, bei der eine Anweisung nach der anderen ausgeführt wird, (2) Datenübertragung, bei der ein Bit nach dem anderen übertragen wird.

set Satz, Datensatz

shift schieben, verschieben

sign Zeichen, Vorzeichen

sign bit Vorzeichenbit

signed mit Vorzeichen versehen

simplex simplex - Datenübertragung bei der Daten nur in eine Richtung möglich ist.

service programm Dienstprogramm - Programm, das zur Steuerung oder Bearbeitung eines bestimmten Ablaufes aufgerufen wird, z.B. bei einer Programmunterbrechung.

simulation Simulation

simulator Simulator - Programm oder Schaltung, womit ein bestimmter Ablauf oder ein bestimmtes Gerät nachgebildet werden.

single precision einfache Genauigkeit

single step Einzelschritt - zu Prüfzwecken wird ein Programm Befehl für Befehl abgearbeitet.

size Größe, Umfang

skip überspringen, Sprung

slash Schrägstrich

slave processor Nebenprozessor - in einem Mehrprozessorsystem findet man in der

Regel einen Hauptprozessor, der die Gesamtsteuerung ausführt und einen oder mehrere Nebenprozessoren, die bestimmte Teilfunktionen erledigen.

slice *Scheibe*

soft error *dynamischer Fehler - ein solcher Fehler wird oft durch einen Störimpuls ausgelöst, ein nochmaliger Versuch die fehlerhafte Operation erneut auszuführen bringt oft Erfolg, im Gegensatz zu --> hard error.*

software *Programme*

software interrupt *programmierte Unterbrechung*

sort *sortieren, Sortierlauf*

source *(Daten-)Quelle*

source code *Quellencode - Programmtext in ursprünglicher Form vor der Übersetzung.*

source file *Quellendatei - Datei, aus der Daten gelesen werden, z.B. um sie in eine andere Datei zu übertragen.*

source listing *Ausdruck eines Programms als Quellentext*

source program *Quellenprogramm --> source code*

space *Zwischenraum, Leerzeichen*

space bar *Leertaste*

SPDT *Abk.f. single pole double throw - Bezeichnung für einen einpoligen Umschalter*

SPST *Abk.f. single pole single throw - Bezeichnung für einen einpoligen Einschalter*

specification *Spezifikation*

specify *spezifizieren, angeben*

speed *Geschwindigkeit*

spool Spule, abspulen, auch Abk.f. simultaneous peripheral output, on-line --> spooler.

spooler Bezeichnung für ein Programm bzw. Verfahren, mit dem die Datenausgabe auf Peripheriegeräten zunächst zwischengespeichert wird, um sie anschließend auszugeben, wobei ggf. andere Programmfunktionen scheinbar gleichzeitig bearbeitet werden.

square root Quadratwurzel

stack Stapel, Stapelspeicher - Speicher, bei dem die Daten gleichsam "aufeinandergestapelt" werden. Die Daten werden in der umgekehrten Reihenfolge des Einschreibens gelesen, d.h. die zuletzt geschriebene Information wird zuerst gelesen. Die meisten Mikroprozessoren unterstützen diese Speicherart, zur Speicherung von Rücksprungadressen und Daten.

stack pointer Stapelzeiger - Register des Mikroprozessors für die Stapelspeicherung; es enthält jeweils die aktuelle Adresse des Stapelspeichers.

state Zustand

statement Anweisung, Befehl

static statisch

static RAM statischer Schreib-Lesespeicher - Speicherbaustein bei dem die Speicherzellen als Flip-Flops aufgebaut sind. Ein Auffrischen wie bei dynamischen Bausteinen entfällt.

status Status, Zustand

status bit Zustandsbit

status register Status-, Zustandsregister - Register im Mikroprozessor, dessen Bits abhängig von den Ergebnissen vorangehender Operationen gesetzt oder gelöscht werden, z.B. Ergebnis gleich Null, negativ, Überlauf, Übertrag usw.

step rate Schrittfolge -

bei Diskettenlaufwerken wird damit angegeben, welchen Zeitabstand die Steuerimpulse zur Kopfpositionierung mindestens haben müssen.

stepper motor *Schrittmotor*

storage *Speicherung*

storage area *Speicherbereich*

store *speichern, Speicher*

streaming tape *Bandspeicher - ein Magnetbandgerät, das zum Archivieren des Inhaltes von Festplattenspeichern dient, deren Platten nicht ausgewechselt werden können (z.B. Festplattenlaufwerke mit hermetisch abgeschlossenen Platten).*

string *Zeichenkette, -folge*

strobe *Auswahlsignal*

structure *Struktur*

subrange *Teil-, Unterbereich*

subroutine *Unterroutine, Unterprogramm*

subroutine call *Unterprogramm-Aufruf*

subscript *Index, tiefgestellter Text*

subset *Teilmenge*

substitute *ersetzen*

subtract *subtrahieren*

successive *aufeinanderfolgend*

successor *Nachfolger - ein Element einer Liste, das unmittelbar auf ein bestimmtes Element folgt, so ist z.B. der Buchstabe B Nachfolger von A.*

suffix *Nachsilbe, Anhängsel*

sum *Summe*

superscript *Uberschrift, hochgestellter Text*

supervisor *Bediener*

swap *(ver-)tauschen*

switch *Schalter - auch zur Bezeichnung einer Stelle in einem Programm, an der je nach Zustand in verschiedene Abschnitte verzweigt wird.*

symbol *Symbol, Sinnbild*

symbol table *Symboltabelle - Liste in der die in einem Programm verwendeten symbolischen Adressen zusammengestellt sind.*

symbolic address *symbolische Adresse - Adresse eines Speicherplatzes oder einer Programmverzweigung, die nicht mit ihrem absoluten Wert, sondern mit einem Kennwort angegeben wird.*

synchronous *synchron - ein Verfahren der Datenübertragung, bei dem Sender und Empfänger von einer Taktfrequenz gesteuert werden.*

syntax *Syntax, Satzlehre - Regeln, die für eine bestimmte Sprache gelten bzw. ihre Struktur definieren.*

syntax error *Syntaxfehler - In einem Programm wurde eine Anweisung in einer Form gegeben, die nicht den vereinbarten Regeln entspricht. Dies führt i.a. zu einem Programmabbruch mit einer Fehlermeldung.*

system *System - eine Menge von Elementen oder Komponenten die so strukturiert ist, daß eine bestimmte Eingabe eine bestimmte Ausgabe bewirkt. So besteht z.B. ein Computersystem aus Hard- und Softwarekomponenten.*

system program *Systemprogramm - Programm, das die Steuerung eines Computersystems übernimmt.*

tab *Tabulator(stelle)*

table *Tabelle*

tabulate *tabellarisch ordnen*

tag *Anhängsel, Zusatz*

tape *Band, Streifen, Magnetband*

tape drive *Bandlaufwerk, Bandgerät*

tape punch *Streifenlocher, Lochstreifenstanzer*

target program *Objektprogramm*

task *Aufgabe - ein Programm (Folge von Anweisungen) mit zusätzlichem Text (Statusinformation) das durch einen Prozessor sequentiell bearbeitet wird.*

teletype *Fernschreiber, Fernschreibmaschine*

temporary *temporär, vorläufig*

term *Term, Ausdruck*

terminal *Terminal, Datenendgerät*

terminate *begrenzen, beenden, abschließen*

terminator *Abschluß - oft zur Bezeichnung eines Widerstandsnetzwerks am Ende einer Leitung verwendet.*

test *Test, Probe, Prüfung*

text *Text, alphanumerische Daten*

text editor *Text-Editor - Hilfsprogramm zum Erstellen und editieren von Quellenprogrammen oder allgemeinen Textdateien.*

text file *Textdatei - Datei, die alphanumerische Zeichen enthält, die als Text interpretiert werden können.*

thermal printer *Thermodrucker*

three-state output *Ausgang mit drei Zuständen - Digitalbausteine mit three-state Ausgängen können neben den beiden Logikzuständen high (Spannung näher plus unendlich) und low (Spannung näher minus unendlich) auch einen hochohmigen Zustand annehmen, sie sind dann gewissermaßen "abgeschaltet". Durch diese*

Technik können mehrere Bausteine mit ihren Ausgängen über eine gemeinsame Sammelleitung (Bus) zusammengeschaltet werden. Zum fehlerfreien Arbeiten muß man dafür sorgen, daß immer nur ein Baustein aktiv ist und die übrigen Bausteine hochohmige Ausgänge haben.

throughput Durchsatz - die Menge der Information, die von einem Prozessor während einer gegebenen Zeiteinheit verarbeitet wird.

time Zeit

time slice Zeitscheibe - der Zeitabschnitt, der jeder Aufgabe bei Mehrbenutzer- oder Mehrprogrammbetrieb zugeteilt wird. (--> multi-user, multiprogramming)

timer Zeitgeber

timesharing "Zeitteilung" - Verfahren bei dem scheinbar gleichzeitig mehrere Benutzer mit einem Computer arbeiten können. Tatsächlich wird in schnellem Wechsel jedem Benutzer Rechen- bzw. Bearbeitungszeit zugeteilt.

timing Zeitsteuerung

toggle i.e.S.: "Knebel" - toggle switch = Kippschalter - auch verwendet zur Bezeichnung eines Vorganges, bei dem zwischen zwei möglichen Zuständen gewechselt wird, z.B. to toggle an output = einen Ausgang abwechselnd zwischen high und low umschalten.

token Zeichen, Kurzzeichen - z.B. werden die Schlüsselwörter eines Programms in Quellenform oft nicht als Text, sondern in Form von platzsparenden Kurzzeichen (tokens) gespeichert.

trace Spur - z.B. Weg, den der Leuchtpunkt auf einem Bildschirm zurücklegt - bezeichnet ebenso die Abarbeitung eines Programms unter Kontrolle eines Fehlersuchprogramms das bewirkt, daß nach jedem Befehl die Inhalte der Register und bestimmter Speicherplätze angezeigt oder ausgedruckt werden.

traceback Rückverfolgung - Ausdruck eines Fehlersuchprogramms, aus dem die Register- und Speicherinhalte nach einer bestimmten Anzahl vorangehender Befehle des zu untersuchenden Programms ersichtlich sind --> trace.

track Spur, Datenspur - z.B. auf einem Magnetband oder einer Diskette

tractor feed Traktorführung (--> pin feed)

trademark Warenzeichen

trail nachfolgen - z.B. trailing blanks = nachfolgende Leerzeichen

transfer Transfer, Übertragung

translator Übersetzer - Programm, das Anweisungen einer Programmiersprache in Anweisungen einer anderen Programmiersprache übersetzt.

transmit senden, aussenden

trap Falle - Hilfsmittel bei der Fehlersuche in Programmen: wird z.B. eine bestimmte Bedingung erreicht, erfolgt ein Sprung in einen besonderen Programmteil oder das Programm wird unterbrochen.

tree Baum(struktur) - eine Datenstruktur zur Speicherung von Informationen in hierarchischer Ordnung.

tri-state output Ausgang mit drei Zuständen --> three state output

trigger i.e.S.: "Auslöser, Abzug" - Steuersignal, bei dessen Auftreten eine bestimmte Funktion ausgelöst wird.

troubleshooting Fehlersuche

true wahr - Bezeichnung für einen logischen Zustand.

truncate "stutzen", abschneiden

truth table Wahrheits-

tabelle - eine Tabelle, in der der Zusammenhang zwischen Eingangsvariablen und Ergebnissen logischer Verknüpfungen eingetragen ist.

TTL *Abk.f. transistor transistor logic - Bezeichnung für eine digitale Bausteinfamilie*

TTY *Abk.f. teletype = Fernschreiber, Fernschreibmaschine*

twisted pair cable *paariges Kabel - Kabel, bei dem jeweils zwei Adern miteinander verdrillt sind.*

two's complement *Zweierkomplement*

type *(Daten)typ - Art der Darstellung von Daten in einem Computersystem, z.B. Ganzzahl (--> integer), Fließkomma- (--> floating point number) oder Festkommazahl (--> fixed point number) und Zeichenkette (--> character string).*

type ball *Kugelkopf - Druckelement in der Form einer Kugel, auf deren Oberfläche die Zeichen angebracht sind.*

typewriter *Schreibmaschine*

UART *Abk.f. universal asynchronous receiver transmitter = universeller asynschroner Sende- und Empfängerbaustein - Halbleiterbaustein zum Senden und Empfangen serieller Daten.*

unconditional jump *unbedingter Sprung - Sprunganweisung, die immer ausgeführt wird im Gegensatz zu einer bedingten Sprunganweisung (conditional jump), die nur bei Zutreffen bestimmter Bedingungen ausgeführt wird.*

undefined *undefiniert, nicht definiert - man spricht von einer undefinierten Variablen, solange ihr noch kein bestimmter Wert zugewiesen wurde.*

underflow *- das Ergebnis*

einer Rechenoperation ist so klein, daß es im festgelegten Zahlenformat nicht mehr dargestellt werden kann.

underline unterstreichen, Unterstreichung

unformatted unformatiert

uni-directional unidirektional - Datenleitung, auf der Signale nur in einer Richtung übertragen werden können.

unpack i.e.S.: "auspacken" - gepackte Daten in ihre ursprüngliche Form zurückwandeln --> pack.

unsigned ohne Vorzeichen

update aktualisieren, auf neuen Stand bringen

upper case Großschreibung

USART Abk.f. universal synchronous asynchronous receiver transmitter - universeller Sender- und Empfängerbaustein für synchrone und asynchrone (serielle) Datenübertragung.

user Anwender

user programm Anwender-, Anwendungsprogramm

utility, utility program Hilfsprogramm

valid gültig

validate, validation verifizieren, Verifikation - Prüfung, ob eingegebene oder berechnete Werte in sinnvollen Größenordnungen liegen.

validity Gültigkeit

value Wert, Zahlenwert

value assignment Wertzuweisung

variable veränderlich, variabel, Variable

vector Vektor, Zeiger - Programmspeicheradresse, die dem Prozessor abhängig von einem bestimmten Zustand oder

Ereignis (z.B. Interrupt) übergeben wird. Der Inhalt ist oft die Adresse eines Unterprogramms.

vector table Vektor-, Zeigertabelle - Speicherbereich mit (Unter-)programmadressen --> vector.

vector(ed) interrupt Vektor-Interrupt - Verfahren der Programmunterbrechung, bei dem die unterbrechende Einheit dem Prozessor eine Adresse (Vektor) übergibt, die festlegt, ab wo das "zuständige" Unterbrechungsprogramm beginnt.

verify verifizieren, nachprüfen, bestätigen

version Version, Fassung

video display Bildschirmanzeige

virtual memory virtueller Speicher - ein Adressierungsverfahren mit Trennung des logischen und physischen Adressbereiches. Diese Trennung ermöglicht es, ein Anwenderprogramm zu schreiben, das unabhängig von dem tatsächlich in einem System vorhandenen Speicher ist. Der logische Adressbereich kann dabei größer, gleich oder kleiner als der physische Speicher sein. Normalerweise ist er größer, so daß bei der Ausführung des Programms auf externe Massenspeicher zugegriffen wird (z.B. Diskette).

visible sichtbar

volatile flüchtig

volatile memory flüchtiger Speicher - Speicher, dessen Inhalt bei Ausfall der Spannungsversorgung verlorengeht.

volume i.e.S.: "Band, Buch" - hier ist oft ein Datenträger mit einem bestimmten Inhalt gemeint.

wait warten

watchdog timer Überwachungszeitgeber - Schaltung zur Fehlerüberwachung: wenn durch ein laufendes Programm nicht in regelmäßigen Zeitabständen der Zeitgeber angesteuert wird, löst dieser eine bestimmte Funktion (z.B. Unterbrechung) aus.

winchester disk Winchesterplatte - ein Festplattenlaufwerk, bei dem die empfindlichen Teile (Magnetplatten und Schreib-Leseköpfe) hermetisch versiegelt sind, um das Eindringen von Staub und Feuchtigkeit zu verhindern. Vorteile: robuste Konstruktion, große Kapazität gegenüber Disketten, geringe Zugriffszeiten. Nachteil: Magnetplatten können nicht ausgetauscht werden.

word processor Textverarbeitungsprogramm

workfile Arbeits- oder Zwischendatei - eine temporäre Datei, z.B. eine Textdatei, in der Änderungen vorgenommen werden. Nach Beendigung und Prüfung der Änderungen wird deren Inhalt dann in die endgültige Datei übertragen.

word Wort - oft auch zur Bezeichnung einer zusammenhängenden Gruppe von einzelnen Bits oder Zeichen gebraucht.

work space Arbeits(speicher)bereich

wraparound Wortumbruch - Eigenschaft von Textverarbeitungssystemen, bei denen ein Wort automatisch in eine neue Textzeile übernommen wird, wenn die Länge der vorangehenden Zeile überschritten ist.

write schreiben

write protection Schreibschutz - mechanischer, elektrischer oder programmgesteuerter Schutz gegen Überschreiben eines Speicherbereiches oder Datenträgers

XOR Abk.f. exclusive OR = Exklusiv ODER - Bezeichnung für eine Logische Funktion, bei der der Zustand der Ausgangsvariablen dann und nur dann wahr ist, wenn gleichzeitig der Zustand einer Eingangsvariablen wahr und der der anderen Eingangsvariablen unwahr ist.

zap umgangssprachlich für Flicken, Ausbessern eines Programms

zero Null

zero flag Merker, Anzeiger für ein Ergebnis mit dem Wert Null

T E I L 2

deutsch / englisch

In diesem Abschnitt finden Sie wichtige Fachbegriffe aus den Bereichen der Mikroprozessoren und Personalcomputer in deutsch/englischer Zusammenstellung.

Auf eine Erläuterung der einzelnen Begriffe wurde hier verzichtet, da Sie diese bei Bedarf im ersten Teil finden können.

abbrechen *cancel, quit*

Abbruch *break*

Abgleich *alignment*

Abgrenzungszeichen *delimiter*

abkürzen *abbreviate*

Ablaufsteuerung *sequencer*

abrufen *call, recall*

abrunden *round down*

abschließen *close, terminate*

abschneiden *truncate*

Abschnitt *sector, segment*

absolute Adresse *absolute address*

absoluter Sprung *absolute jump*

absteigend *descending*

Adapter *adapter, interface*

Addition *addition*

Adresse *address*

-, absolute *absolute address*

-, direkte *direct address*

-, physische *physical address*

-, relative *relative address*

-, Rücksprung- *return address*

-, symbolische *symbolic address*

Adressierung *addressing*

-, direkte *direct addressing*

-, erweiterte *extended addressing*

-, implizite *implicite addressing*

-, indizierte *indexed addressing*

-, **Register** *register addressing*

-, **relative** *relative addressing*

-, **unmittelbare** *immediate adressing*

Adressierungsart *addressing mode*

Adress-Tabelle *address map*

ändern *alter, change*

Änderung *alteration, change, modification*

Akkumulator *accumulator*

aktiv *active*

aktivieren *activate*

aktualisieren *update*

Akustik-Koppler *acoustic coupler*

Algorithmus *algorithm*

allgemeingültig *global*

alphanumerisch *alphanumeric*

analog *analog*

Analogrechner *analog computer*

Analog-Digital Wandler *A/D converter*

aneinanderketten *concatenate*

Anfangswert *initial value, seed*

Anforderung *request*

Anfrage *request*

anfügen *append*

angeben *specify*

anhängen *append*

Anhängsel *appendix, suffix, tag*

Anhang *appendix*

Anmerkung *remark*

anwählen *select*

Anweisung *command, directive, instruction, order, statement*

Anwender *user*

Anwenderprogramm *user program*

Anwendungsprogramm *applications program*

Anzeige *display*

-, Bildschirm- *video display*

Arbeitsbereich *workspace*

Arbeitsdatei *workfile*

Architektur *architecture*

Archivspeicher *archival storage*

Argument *argument*

Arithmetik, arithmetisch *arithmetic*

arithmetisch-logische Einheit *arithmetic logic unit, ALU*

arithmetischer Ausdruck *arithmetic expression*

arithmetischer Überlauf *arithmetic overflow*

Assembler *assembler*

Assemblersprache *assembly language*

assemblieren *assemble*

asynchron *asynchronous*

aufeinanderfolgend *successive*

auffrischen *refresh*

Aufgabe *task*

auflisten *list*

aufnehmen *fetch*

Aufruf *call*

-Folge *calling sequence*

aufrunden *round up*

aufsteigend *ascending*

Ausdruck *listing, printout*

Ausdruck, arithmetischer *expression, term*

ausführen *execute*

Ausführung *execution*

Ausführungsschritt *execution cycle*

Ausführungszeit *execution time*

Ausgabe *output, listing*

Ausgang *(einer Schaltung): output, (aus einem Programm): exit*

Ausgangsposition *home*

Auslöser *trigger*

Aussprung *exit*

-punkt *exit point*

Austausch, austauschen *exchange*

auswählen *select*

Auswahltabelle *menu*

Auszug *extract*

Band *(Farb-) ribbon, (Magnet-) tape*

Bandbreite *bandwidth*

Bandgerät *tape drive*

Bandkabel *ribbon cable*

Bandspeicher *streaming tape (drive)*

Basis *base*

Basisadresse *base address*

Baum(struktur) *tree (structure)*

Bearbeitung *manipulation*

Bediener *supervisor, operator*

bedingte Programmverzweigung conditional branch

bedingter Sprung conditional jump

Bedingung condition

beenden commence, quit

Befehl statement, command, instruction

Befehlsaufnahme instruction fetch

Befehlsausführung instruction execution

Befehlscode op-code, instruction code

Befehlsdecoder instruction decoder

Befehlssatz instruction set

Befehlsvorverarbeitung instruction lookahead

Befehlszyklus instruction cycle

begrenzen terminate

Begrenzung delimiter

Bereich range

bereit ready

bidirektional bi-directional

Bildpunkt pixel

Bildröhre cathode ray tube

Bildschirm screen

Bildschirmanzeige video display, CRT-display

binär binary

binäres Suchen binary search

Binärstelle binary digit

binden link

blinken blink, flash

Blockgröße block size

blockieren lock out, disable

Blocksatz *justification*

Blockübertragung *block transfer*

Bogenmaß *radian*

Boolesche Algebra *boolean algebra*

Buchse *jack*

Buchstabe *letter, literal*

Byte *byte*

Code *code*

codieren *encode*

Darstellung *repesentation*

Datei *file*

- mit wahlfreiem Zugriff *random file*

-, Quellen- *source file*

-, sequentielle *sequential file*

-, Text- *text file*

Dateiname *file name, file specification*

Dateiverwaltung *file management*

Daten *data*

-bank *data base*

-bankverwaltung *data base management*

-bereich *data area*

-bus *data bus*

-eingabe *data entry*

-endgerät *terminal*

-erfassung *data collection*

-feld *array*

-fluss *data flow*

-format *data format*

-quelle *data source*

-satz *data record, record, set*

-schalter *multiplexer*

-senke *data sink*

-sichtgerät *CRT-terminal, monitor*

-speicherung *data storage*

-spur *track*

-strom *data stream*

-struktur *data structure*

-tabelle *data table*

-typ *(data) type*

-übertragung *data communication*

-verarbeitung *data processing*

-verschlüsselung *data encryption*

-verbindung *data link*

-verwaltung *data management*

Datum *date*

decodieren *decode*

definieren *define*

Definition *definition*

dekrementieren *decrement*

dezimal *decimal*

Dezimalkorrektur *decimal adjust*

Dezimalstelle *decimal place, digit*

Dezimaltabulation, -tabulator *decimal tab*

Dichte *density*

Dienstprogramm *service program*

digital *digital*

Digital-Analog Wandler *D/A*

converter

digitalisieren *digitize*

direkte Adresse *direct address*

direkte Ein-/Ausgabe *direct I/O*

Disassemblerprogramm *disassembler (program)*

disassemblieren *disassemble*

Diskette *floppy disk, disk, diskette*

Disketten-Betriebssystem *disk operating system, DOS*

Diskettendatei *disk file*

Diskettenlaufwerk *disk drive*

Dokumentation *documentation*

Doppelkanalspeicher *dual port memory*

Doppelpunkt *colon*

Doppelpunkt *colon*

drucken *print*

Drucker *printer*

Druckkopf *print head*

Druckweite *pitch*

duplizieren *duplicate*

Durchlauf *cycle, pass*

Durchsatz *throughput*

dynamisch *dynamic*

dynamischer Fehler *soft error*

Ebene *level*

echt *real*

Echtzeit *real time*

Echtzeitprogramm *real time program*

Echtzeituhr *real time*

clock

Echtzeitverarbeitung *real time processing*

Ein-/Ausgabe *input/output, I/O*

, direkte *direct I/O*

-Kanal *I/O channel*

Einerkomplement *one's complement*

einfügen *insert*

Einfügung *insertion*

Eingabe *input*

Einrückung *indent*

Einsprungpunkt *entry point*

Eintrag *entry*

Einzelschritt *single step*

Empfänger *receiver*

empfangen *receive*

Emulation *emulation*

Endlosformular *continuous form*

Endlosschleife *infinite loop*

entprellen *debounce*

Entscheidung *decision*

Entscheidungsbaum *decision tree*

Entwicklungssystem *development system, prototyping system*

erforderlich *mandantory*

Ergänzung *extension*

Erklärung *declaration*

eröffnen *open*

Ersatz *replacement*

ersetzen *replace, substitute*

Erweiterung *extension*

erzeugen *create*

EXKLUSIV-ODER *exclusive OR, XOR*

Exponent *exponent*

Falle *trap*

falsch *false*

Farbband *ribbon*

Fehler *error, fault*

-, dynamischer *soft error*

-korrektur-Code *error correcting code*

-prüfung *check, diagnostic*

-suche *debugging, troubleshooting*

Feld *field, array*

Fernschreiber *teletype*

fertig *ready*

Festkomma *fixed point*

Festkommazahl *fixed point number*

Festplatte *hard disk*

Festwertspeicher *read only memory, ROM*

Fettdruck *boldface*

Flachkabel *ribbon cable*

Fließkomma *floating point*

flüchtig *volatile*

Flüssigkristall-Anzeige *liquid crystal display, LCD*

Flussdiagramm *flow chart*

Format *format*

Formel *formula*

Formular *form*

Formularvorschub *form feed*

fortlaufend *consecutive*

freigeben *enable*

Funktion *function*

-, arithmetische *arithmetic function*

Funktionsaufruf *function call*

Funktionstaste *function key*

Fußnote *footer*

Ganzzahl *integer*

Gatter *gate*

Gegenstand *item*

Genauigkeit *precision*

-, doppelte *double precision*

-, einfache *single precision*

generieren *create, generate*

Gerätetreiber(programm) *device driver*

gerade *even*

Geschwindigkeit *speed*

Gleichung *equation*

gleichzeitig *concurrent*

grad *degree*

grafisch *graphic*

Größe *dimension, size*

Grossbuchstabe *capital letter*

Großschreibung *upper case*

Grundkarte *motherboard*

gültig *valid*

Halbbyte *nibble*

Halbleiter *semiconductor*

Halbleiterplättchen *chip*

Halt *halt*

Haltpunkt *breakpoint*

Handbuch *manual*

Hauptprogramm *main program*

Hauptspeicher *main memory, main storage, primary store*

Hervorhebung *highlight*

hexadezimal *hexadecimal*

Hilfsprogramm *utility program*

Hintergrundprogramm *background program*

Hintergrundverarbeitung *background processing*

höchstwertig *most significant*

höherwertig *high order*

Index *index, subscript*

Indexloch *index hole*

Indexregister *index register*

indiziert *indexed*

Information *information*

Inhalt *contents*

initialisieren *initialize*

Initialisierung *initialization*

inkrementieren *increment*

integrierte Schaltung *integrated circuit, IC*

interaktiv *interactive*

Interpreter *interpreter*

Intervall Zeitgeber *interval timer*

inverse Zeichendarstellung *reverse video*

Inverter *inverter*

justieren *adjust*

Kabel, paariges *twisted pair cable*

Kanal (Ein-/Ausgabe) *port*

Kapazität *capacity*

Karte *card*

Kassette *cartridge, cassette*

Kathodenstrahlröhre *cathode ray tube, CRT*

Kenner *identifier*

Kern *nucleus*

Kernspeicher *core memory*

Kette *chain*

Kettendrucker *chain printer*

Klammer *bracket*

Klammerung *parenthesis*

Kleinschrift *lower case*

Koaxialkabel *coaxial cable*

Kommentar *comment, remark*

kompatibel *compatible*

Kompatibilität *compatibility*

Kompilersprache *compiler language*

kompilieren *compile*

Komplement *complement*

komprimieren *compress, pack*

Komprimierung *compression*

Konsole *console*

konstant, Konstante *constant*

Kontrast *contrast*

konvertieren *convert*

Konvertierung *conversion*

Kopfzeile *header*

Koprozessor *coprocessor*

Korrektur lesen *proof-reading*

Korrekturabdruck *draft copy*

Kugelkopf *type ball*

Kurzzeichen *token*

lesen *read*

Leser *reader*

Leuchtdiode *light emitting diode, LED*

Lichtgriffel *light pen*

Lichtsatz *photo typesetting*

laden *load*

Lader *loader*

Lage *position*

laufen *run*

Laufwerk *drive*

leer *empty*

Leertaste *space bar*

Leerzeichen *blank, space*

Leistung *power*

leistungsfähig *powerful*

Leitung *line*

Lichtzeiger *light pen*

Liste *list*

Literal *literal*

Locher *paper punch, punch*

Lochkartenleser *card reader*

Lochkartenstanzer *card puncher*

Lochstreifen *paper tape*

Lochstreifenleser *paper tape reader*

Lochstreifenstanzer *tape punch, paper tape punch*

löschen *clear, delete, erase, kill*

Logik *logic*

logische Adresse *logical address*

lokal *local*

Lücke *gap*

Magnetband *magnetic tape, tape*

Magnetblasenspeicher *bubble memory*

Magnetkopf *magnetic head*

Manipulation *manipulation*

Mantisse *mantissa*

Marke *label*

Markierung *label, marker*

Maschinenbefehl *machine instruction*

Maschinencode *machine code*

Maschinenprogramm *machine program*

Maschinensprache *machine language*

Maske *mask*

maskieren *mask*

Maskierung *masking*

Massenspeicher *mass storage*

Matrix *array, matrix*

Mehr-Ebenen-Unterbrechung *multi level interrupt*

Mehrbenutzersystem *multi-user system*

Meldung *message, prompt*

Menue *menu*

Merker *flag*

Mikrobefehl *micro instruction*

Mikrocomputer *microcomputer*

-Entwicklungssystem *microcomputer development system*

Mikroprogramm *micro program*

mischen *merge*

Modul *module*

Modus *mode*

Monitor *monitor*

Monitorprogramm *monitor program*

montieren *mount*

Multiplex-Bus *multiplexed bus*

Multiplexer *multiplexer*

Muster *pattern*

Nachbildung *emulation*

Nachfolger *successor*

nachprüfen *verify*

negativ *negative*

nehmen *fetch*

Netzausfall *power fail*

Netzwerk *network*

nichtflüchtig *non volatile*

niedrigstwertig *least significant*

normalisiert *normalized*

Null *null, zero*

-, führende *leading zero*

numerisch *numeric*

Objektcode *object code*

Objektdatei *object file*

ODER *OR*

ODER Gatter *OR gate*

öffnen *open*

oktal *octal*

Operand *operand*

Operationscode *op-code*

Option *option*

Optokoppler *optical isolator, optical coupler*

Oxid *oxide*

paariges Kabel *twisted pair cable*

packen *pack*

Paginierung *pagination*

parallel *parallel*

Parallelverarbeitung *parallel processing*

Parameter *parameter*

Parität *parity*

-, gerade *even parity*

-, ungerade *odd parity*

Paritätsbit *parity bit*

Paritätsprüfung *parity check*

Pause *break, pause*

peripher *peripheral*

Peripheriegerät *peripheral device*

Pfeil *arrow*

physische Adresse *physical address*

Position *location, position*

Potenz *power*

Potenzierung *exponentation*

primär *primary*

Primärspeicher *primary store*

Primzahl *prime number*

Priorität *priority*

Probeabzug, -druck *draft copy*

Programm *program*

-, Anwender- *user program*

-, Hilfs- *utility program*

-, interaktives *interactive program*

-, Quellen- *source program*

-, Echtzeit- *real time program*

Programmbinder *linker, linking loader*

Programmfehler *bug*

Programmierer *programmer*

Programmiersprache *programming language*

-, höhere *high level language*

Programmlauf *run-time*

Programmunterbrechung *interrupt*

Programmzähler *program counter*

Proportionaldruck *proportional printing*

Protokoll *protocol*

Prozedur *procedure*

Prozessor *processor*

Prozessor-Zustandswort *processor status word, PSW*

Prüfprogramm *diagnostic program*

Prüfsumme *checksum*

Prüfung *check*

Puffer *buffer*

Punkt *point*

Quadratwurzel *square root*

Quelle *source*

Quellencode *source code*

Quellendatei *source file*

Quellenprogramm *source program*

Querverweis *cross reference*

Quittungsmeldung *acknowledge*

Rand *margin*

-ausgleich *justification*

real *real*

Rechner *computer*

Redundanz *redundance*

reentrant *reentrant*

Register *register*

-Adressierung *register addressing*

Registersatz *register set*

Reibungsantrieb *friction feed*

Reihe *row*

Reihenfolge *order*

-, aufsteigend *ascending order*

-, absteigend *descending order*

rekursiv *recursive*

relokatierbar *relocatable*

Reserve *backup*

reservieren *reserve*

Rest *remainder*

rollen (Bildschirmanzeige) *scroll*

rotieren *rotate*

Routine *routine*

Rückmeldung, positiv *acknowledge*

rücksetzen *clear, reset*

Rücksprung *return*

Rücksprungadresse *return address*

Rücktaste *backspace*

Rückwandverdrahtung *backplane*

runden *round*

Rundung *rounding*

Sammelleitung *bus*

Satz *sentence, set*

Schachtelung *nesting*

Schachtelungsebene *nesting level*

-stiefe *nesting depth*

Schalter *switch*

Schaltung, gedruckte *printed circuit board, PCB*

Scheibe *slice*

schieben *shift*

-, arithmetisch *arithmetic shift*

-, logisch *logical shift*

Schirm *screen*

Schlange *queue*

Schleife (Programm-) *loop*

Schleifenzähler *loop counter*

Schlüssel *key*

Schlüsselwort *keyword*

Schnittmenge *intersection*

Schnittstelle *interface*

Schrägstrich *slash*

Schreib-/Lesespeicher *random access memory, RAM, read/write memory*

schreiben *write*

Schreibmarke *cursor*

Schreibmaschine *typewriter*

Schreibschutz *write protect(ion)*

Schreibweise *notation*

-, dezimale *decimal notation*

Schrittgeschwindigkeit *step rate*

Schrittmotor *stepper motor*

schützen *protect*

Schutzwort *password*

sedezimal *hexadecimal*

Seite *page, side*

Seitenverhältnis *aspect ratio*

Sektor *sector*

-schachtelung *sector interleaving*

Selbsttest *selftest*

Sende-Empfänger *receiver*

senden *transmit*

seriell *serial*

sichern *save*

Sicherungskopie *back-up*

sichtbar *visible*

Silbentrennung *hyphenation*

Simulation *simulation*

simplex *simplex*

sortieren *sort*

Sortierlauf *sort*

Spalte *column*

Speicher *memory, store, storage*

-, dynamischer *dynamic memory*

-, Schreib-/Lese- *random*

access memory, RAM, read/write memory

-, statischer *static memory*

-, virtueller *virtual memory*

Speicherbank-Umschaltung *bank switching*

Speicherkapazität *(storage) capacity*

speichern *save, store*

Speicherschutz *memory protection*

Speicherung *storage*

-, dauerhafte *permanent storage*

Speicherzugriff, direkter *direct memory access*

Sperre *lock*

sperren *lock out*

Sprache *language*

Sprung *jump*

-, bedingter *conditional jump*

-, unbedingter *unconditional jump*

Sprunganweisung *jump instruction*

-, relative *relative jump*

Spur *trace, track*

Stachelantrieb *pin feed*

Standardwert *default*

Stanzer *paper punch, punch*

-, Lochstreifen- *tape punch*

Stapel *stack*

Stapelbetrieb *batch mode*

Stapelverarbeitung *batch processing*

Stapelzeiger *stack pointer*

statisch *static*

Status *status*

Stecker *connector, plug*

Steckkarte *card*

Stelle, führende *leading digit*

-, niedrigstwertige *least significant digit, LSD*

-, höchstwertige *most significant digit, MSD*

Stern, Sternchen *asterisk*

Steueranweisung *control instruction*

Steuerbaustein *controller*

Steuerblock *control block*

Steuerbus *control bus*

Steuereinheit *control unit*

Steuerknüppel *joystick*

Steuerregister *control register*

Steuerschaltung *controller*

Steuerzeichen *control character*

Störimpuls *glitch*

Struktur *structure*

subtrahieren *subtract*

suchen *search, seek*

Summe *sum*

Symbol *symbol*

Symboltabelle *symbol table*

synchron *synchronous*

Syntax *syntax*

Syntaxfehler *syntax error*

Systemprogramm *system program*

Systemstart *bootstrap*

Tabelle *table*

Tabulator *tab*

Taktsignal *clock*

Tastatur *keyboard*

Taste *key*

Tastenanschlag, -druck *key-stroke*

Tastenwiederholfunktion *key repeat*

Tastenprellen *keybounce*

tauschen *exchange, swap*

Teilbereich *subrange*

Teilmenge *subset*

Terminal *terminal*

Textdatei *text file*

Textilfarbband *fabric ribbon*

Textverarbeitungsprogramm *word processor*

Thermodrucker *thermal printer*

Tintenstrahldrucker *ink jet printer*

Torschaltung *gate*

Träger *carrier*

Traktorführung *tractor feed*

Treiber(programm) *driver*

Typ *type*

Typenraddrucker *daisy wheel printer*

überdrucken *overstrike*

Übereinstimmung *match*

überflüssig *extraneous*

übergeordnet *global*

Überlauf *overflow*

Überschneidung *inter-*

section

Überschrift *header, heading, superscript*

übersetzen *compile, translate*

Übersetzer(programm) *compiler, translator*

Übertrag *carry*

Uhr *clock*

-, Echtzeit- *real time clock*

umbenennen *rename*

Umfang *size*

umformatieren *reformat*

Umgebung *environment*

Umkehrer *inverter*

umnumerieren *renumber*

umwandeln *convert*

Umwandlung *conversion*

UND *AND*

UND-Gatter *AND gate*

undefiniert *undefined*

unformatiert *unformatted*

ungerade *odd*

unsichtbar *invisible*

Unterbereich *subrange*

Unterbrechungsanforderung *interrupt request*

Unterbrechungsmaske *interrupt mask*

Unterbrechungsquittung *interrupt acknowledge*

Unterbrechungsroutine *interrupt sevice routine*

Unterbrechungsvektor *interrupt vector*

Unterprogramm *subroutine*

Unterprogrammaufruf *subroutine call*

Unterroutine *subroutine*

Unterstreichung *underline*

unterstreichen *underline*

Urheberrecht *copyright*

Urlader *bootstrap loader*

Variable *variable*

veränderlich *variable*

Verarbeitung *processing*

-, Echtzeit- *real time processing*

verbinden, Verbindung *link*

Verbinder *connector*

Vergleich *comparison*

vergleichen *compare*

Vergleichsprogramm *benchmark program*

Verifikation, verifizieren *validation, validate*

Versatz *displacement, offset*

verschiebbar *relocatable*

verschieben *move, relocate, shift*

Versuchsschaltung *breadboard*

vertauschen *exchange, swap*

Verzögerung *delay*

Verzögerungsschleife *delay loop*

Verzweigung *branch*

-, bedingte *conditional branch*

Verzweigungsanweisung *branch instruction*

virtueller Speicher *virtual memory*

vollduplex *full duplex*

Vorab-Befehlsaufnahme *prefetching*

Vorgänger *predecessor*

vorläufig *temporary*

Vorrang *priority*

Vorsilbe *prefix*

Vorspann *leader*

Vorzeichen *sign*

Vorzeichenbit *sign bit*

Wagenrücklauf *carriage return*

wahlfrei *random*

wahlweise *optional*

wahr *true*

Wahrheitstabelle *truth table*

Warenzeichen *trademark*

warten *wait*

Warteschlange *daisy chain, queue*

weglassen *omit*

Wert *value*

Wertebereich *range*

Wertzuweisung *value assignment*

wiedergewinnen *retrieve*

wiederholen *repeat*

Winchesterplatte *winchester disk*

Wort *word*

Wortumbruch *(word) wraparound*

Wurzel *root*

zählen *count*

Zahl *number*

Zahlenverarbeitung *number crunching*

Zeichen *character*

-, alphanumerische *alphanumerics*

-abstand *intercharacter spacing*

-kette *character string, string*

-satz *character set*

Zeiger *pointer, vector*

Zeile *line, row*

Zeilensprungverfahren *interlaced display mode*

Zeitscheibe *time slice*

Zeilendrucker *line printer*

Zeilenschaltung *line feed*

Zeit *time*

Zeitgeber *timer*

Zeitsteuerung *timing*

Zentraleinheit *central processing unit, CPU*

Ziel *destination*

Ziffernstelle *digit*

Zubehör *ancillary equipment*

zufällig *random*

Zugriff *access*

-, wahlfreier *random access*

Zugriffszeit *access time*

zurückholen *recall, retrieve*

zurückkehren *return*

zurückrufen *recall*

zurücksetzen *reset*

zusammentreffend *concurrent*

Zusatzgerät *ancillary equipment*

Zustand *state, status*

Zustandsbit *status bit*

Zustandscode *condition*

code

Zustandsregister *condition register, status register*

zuweisen *allocate, assign*

Zuweisung *assignment*

Zweck *purpose*

Zweierkomplement *two's complement*

Zwischendatei *workfile, temporary file*

Zwischenraum *space*

Zwischenübertrag *half carry*

Zyklus *cycle*

ANHANG

Fehlermeldungen

In diesem Anhang finden Sie wichtige Fehlermeldungen, wie sie von Betriebssystemen, Assemblern, Sprachcompilern und -interpretern erzeugt werden können.

Die Meldungen sind nach englischen Begriffen geordnet und zusammen mit der deutschen Übersetzung gedruckt. In den meisten Fällen folgt danach eine nähere Erläuterung der Fehlermeldung.

Argument error — Argument Fehler, das Argument einer Operation hat nicht das zulässige Format oder liegt außerhalb des erlaubten Wertebereiches.

Attempt to open library file unsuccessfully
Erfolgloser Versuch, eine Datei als Programmbibliothek zu öffnen.

Attempt to read past EOF
Versuch, über das Datei-Ende hinaus zu lesen.

Attempt to use non program file as a program
Versuch, eine Datei mit falschem Format als Programmdatei zu laden.

Bad file mode — Unerlaubte Datei-Art, es wurde der Versuch gemacht, eine Datei mit falschem Format anzusprechen, z.B. in eine Datei für direkten Zugrif mit Anweisungen für sequentielle Dateien zu schreiben.

Bad file name — Fehlerhafter Dateiname, es wurde ein Dateiname verwendet, der nicht dem zulässigen Format entspricht.

Bad file number — Unzulässige Dateinummer, eine Anweisung bezieht sich auf eine Datei, die unter der angegebenen Puffernummer nicht geöffnet wurde oder es wurde eine unzulässige Nummer verwendet.

Bad opcode — Unzulässiger oder fehlerhaft geschriebener Operationscode.

Bad record number	Falsche Satznummer, in einer Schreib- oder Leseanweisung für eine Datei mit direktem Zugriff ist eine Satznummer enthalten, die außerhalb des erlaubten Bereichs liegt.
Bad sector	Fehlerhafter Sektor.
Can't continue	Programm kann nicht fortgesetzt werden; es wurde versucht, ein Programm nach einer Unterbrechung durch einen Fehler, nach einer Änderung oder nach Löschen des Arbeitsspeichers fortzusetzen.
Cannot close file	Datei kann nicht geschlossen werden.
Character not available	Zeichen nicht verfügbar.
Command error	Fehlerhafte oder unzulässige Anweisung.
Comment must appear at top of program	Kommentar muß am Anfang des Programms stehen.
Conditional nesting error	Fehler in der Schachtelung bedingter Anweisungen, z.B. ELSE ohne IF, ENDIF ohne IF usw.
CRC error during disk I/O	--> CRC Fehler bei Disketten Ein-/Aus-

gabe.

Direct statement in file
Direkte Anweisung in einer Programmdatei, beim Laden einer Programmdatei im ASCII-Format wurde eine Zeile gelesen, die keine vorangestellte Zeilennummer enthält.

Directory read error — Fehler beim Lesen des Disketten-Inhaltsverzeichnisses.

Directory space full — (Disketten-)Inhaltsverzeichnis voll.

Directory write error — Fehler beim Schreiben in das Disketten-Inhaltsverzeichnis.

Disk drive hardware fault
Fehler an einem Diskettenlaufwerk.

Disk drive not in system
Diskettenlaufwerk im System nicht vorhanden.

Disk drive not ready — Diskettenlaufwerk nicht betriebsbereit.

Disk (space) full — Diskette voll, der gesamte Speicherplatz einer Diskette ist belegt, es können keine weiteren Daten mehr geschrieben werden.

Disk I/O error — Ein-/Ausgabe-Fehler bei einer Diskettenoperation, diese Meldung wird erzeugt, wenn beim Schreiben oder Lesen einer

Diskette ein Fehler erkannt wurde, der durch das Betriebssystem nicht behoben werden kann.

Disk sector not found — *Diskettensektor nicht gefunden.*

Division by Zero — *Division durch Null, in einem Ausdruck erfolgt eine Division durch Null oder es wird bei der Bearbeitung eines Ausdruckes der Wert Ø mit einer negativen Zahl potenziert.*

Double defined symbol — *Doppelt definierte Marke.*

Double definition — *Doppelte Definition.*

Error in closing file — *Fehler beim Schließen einer Datei.*

Error in declaration part
Fehler im Deklarationsteil.

Error in parameter list
Fehler in der Parameterliste, Syntaxfehler in der Deklaration der Parameterliste.

Error in simple type — *Fehler bei einem einfachen Variablentyp.*

Error in type — *Fehler in der Typ-Deklaration.*

Error in writing code file, not enough room
Fehler beim Schreiben des (Objekt)-codes, kein ausreichender Platz (auf

der Diskette).

Expression error — Fehler in einem Ausdruck.

Expression too complicated
Ausdruck zu umfangreich.

External declaration not allowed at this nesting level
Eine externe Deklaration ist in dieser Schachtelungsebene nicht erlaubt.

External error — EXTERNAL-Fehler, Verwendung einer EXTERNAL-Anweisung an dieser Stelle nicht erlaubt.

FOR without NEXT — FOR ohne NEXT, es wurde eine FOR-Anweisung erreicht, ohne daß eine dazu passende NEXT-Anweisung gefunden werden kann.

Field overflow — Überlauf des Datenpuffers, in einer Feld-Anweisung werden mehr Bytes definiert, als in der OPEN-Anweisung für die Satzlänge angegeben wurden.

File acces denied due to password protection
Dateizugriff wird verweigert, da die Datei mit einem Schutzwort versehen ist.

File not found — Datei nicht gefunden, eine Dateianweisung enthält einen Dateinamen, der auf der Diskette nicht gespeichert ist.

File already exists	Datei ist bereits vorhanden, in einer Anweisung wurde ein Name angegeben, unter dem auf der Diskette bereits eine Datei gespeichert ist.
File already in directory	Datei ist bereits im Inhaltsverzeichnis enthalten.
File already open	Datei bereits geöffnet, es wurde versucht, eine bereits geöffnete Datei erneut zu öffnen.
File unavailable	Datei nicht vorhanden.
Identifier declared twice	Bezeichner wurde zweimal deklariert.
Identifier expected	Bezeichner erwartet, nach den Syntaxregeln wird an einer Stelle der Anweisungszeile ein Bezeichner (z.B. Variablenname) erwartet.
Identifier is not of the appropriate class	Ein Bezeichner von unzulässiger Art wurde verwendet, z.B. ein Typbezeichner als Variablenbezeichner oder umgekehrt.
Illegal character in text	Unerlaubtes Zeichen im Text.
Illegal command parameter	Unerlaubter Parameter in einer Anweisung.

Illegal direct	Unzulässige Direkt-Anweisung.
Illegal disk change	Unerlaubter Diskettenwechsel.
Illegal function call	Unerlaubter Aufruf einer Funktion, an eine Funktion wurde ein Parameter, übergeben, dessen Wert oder Typ für diese Funktion nicht zulässig ist.
Illegal I/O attempt	Versuch einer unerlaubten Ein-/Ausgabe.
Illegal logical file number	Unzulässige logische Dateinummer.
Illegal parameter substitution	Unerlaubt eingesetzter Parameter, z.B. entspricht der Typ eines übergebenen Parameters nicht dem formalen Parameter gemäß Deklaration.
Illegal symbol	Unerlaubtes Symbol, im Programmtext wird ein Symbol (Bezeichner oder Marke) verwendet, das an dieser Stelle nicht zulässig ist.
Illegal type of loop control variable	Unzulässiger Typ bei einer Schleifenvariablen.
Illegal type of operands	Unerlaubter Operanden-Typ.
Index type must be integer	Ein Index muß vom Typ INTEGER sein.

Index type must not be real
Ein Index vom Typ REAL ist hier nicht erlaubt.

Input past end — *INPUT über das Ende einer Datei hinaus, bei einer sequentiellen Datei wurde eine Leseanweisung ausgeführt, obwohl bereits durch vorangehende Operationen alle Daten gelesen wurden.*

Integer constant exceeds range
Eine INTEGER Konstante überschreitet den zulässigen Wertebereich.

Internal error — *Interner Fehler, eine Fehlfunktion innerhalb der System-Maschinenroutinen ist aufgetreten. Dieser Fehler wird nicht durch das Anwenderprogramm verursacht.*

Invalid drive number — *Unzulässige Laufwerknummer.*

Invalid file name — *Unzulässiger Dateiname.*

Line buffer overflow — *Überlauf des Zeilenpuffers, es wurde der Versuch gemacht, eine Zeile mit zu vielen Zeichen einzugeben.*

Loading error — *Fehler beim Laden einer Datei, evtl. hat die Datei ein falsches Format.*

Logical expression expected
Es wird ein logischer Ausdruck erwartet.

Lost data during disk I/O
Datenverlust bei der Disketten-Ein-/Ausgabe.

Low bound exceeds high bound
Untergrenze überschreitet Obergrenze.

Memory fault during program load
Beim Laden eines Programms wurde ein fehlerhafter Speicherplatz gefunden.

Missing operand — Fehlender Operand, in einer Anweisung steht ein Operator, ohne daß ein entsprechender Operand folgt.

Multidefined label — Mehrfach definierte Marke.

Multiple defined symbol — Mehrfach definiertes Symbol, oft findet man auch die Fehlermeldung "multiply defined symbol", dies ist jedoch grammatikalisch falsch.

NEXT without FOR — NEXT ohne FOR, in einer NEXT-Anweisung ist eine Variable enthalten, die in keiner vorher bearbeiteten FOR-Anweisung verwendet wurde.

No RESUME — Keine RESUME-Anweisung, es wurde mit ON ERROR GOTO in eine Fehlerroutine verzweigt, die keine RESUME-Anweisung enthält.

No source file present — Keine Quellendatei vorhanden.

No start address	*Keine Anfangsadresse.*
No such field in this record	*In einem Satz ist das betreffende Feld nicht enthalten.*
Not enough room for this operation	*Für eine Operation steht kein ausreichender Speicherplatz zur Verfügung.*
Not implemented	*Funktion nicht vorhanden.*
Number error	*Fehler in einer Zahl, z.B. unzulässige Ziffer.*
Number expected	*Es wird eine numerische Grüße erwartet.*
Number of parameters does not agree with declaration	*Die Anzahl der Parameter stimmt nicht mit der Deklaration überein.*
Numerical expression expected	*Es wird ein numerischer Ausdruck erwartet.*
Out of data	*Keine Daten vorhanden, eine READ-Anweisung wurde ausgeführt, obwohl keine DATA-Zeile mit noch nicht gelesenen Konstanten mehr vorhanden ist.*
Out of memory	*Speicherüberlauf, der verfügbare Arbeitsspeicher reicht nicht aus, um die notwendigen Informationen zu speichern. Das kann durch ein zu großes Pro-*

	gramm, zu viele Variable, zu komplizierte Ausdrücke oder durch eine zu große Schachtelungstiefe von FOR...NEXT-Schleifen und Unterprogrammen verursacht werden.
Out of string space	Überlauf des STRING-Speichers, zu viele oder zu lange STRING-Variable belegen den gesamten verfügbaren Speicherbereich.
Overflow	Überlauf, das Ergebnis einer Operation ist so groß, daß es im verfügbaren Zahlenformat nicht mehr dargestellt werden kann.
Printer not available	Drucker nicht vorhanden oder verfügbar.
Printer not ready	Drucker nicht bereit.
Printer out of paper	Kein Papier im Drucker.
Procedure too long	Prozedur zu lang.
'PROGRAM' expected	Text 'PROGRAM' erwartet, nach den Syntaxregeln wird an dieser Stelle des Programms der Text 'PROGRAM' erwartet.
Program not found	Programm kann nicht gefunden werden.
Read error	Lesefehler.
Read only	Datei kann nur gelesen werden.

Redimensioned array — *Mehrfach dimensioniertes ARRAY, in einem Programm wurden für ein ARRAY mehrere DIM-Anweisungen gegeben. Der Fehler tritt auch auf, wenn ein ARRAY zunächst nicht dimensioniert wurde, es bereits Werte enthält und dann eine DIM-Anweisung erfolgt, da nach der Wertezuweisung automatisch eine Dimension angenommen wurde.*

Required command parameter not found
Benötigter Parameter nicht in der Anweisung gefunden.

Result type does not agree with declaration
Der Typ des Ergebnisses entspricht nicht dem deklarierten Typ.

RESUME without error — *RESUME ohne Fehler, eine RESUME-Anweisung wurde erreicht, ohne daß vorher ein Fehler aufgetreten ist.*

Return without GOSUB — *Return ohne GOSUB, es ist eine RETURN-Anweisung vorhanden, ohne daß vorher eine dazu passende GOSUB-Anweisung bearbeitet wurde.*

Sign not allowed — *Vorzeichen nicht erlaubt.*

String expression expected
Es wird ein Zeichenkettenausdruck erwartet.

String formula too complex	
	STRING-Ausdruck zu kompliziert, ein STRING-Ausdruck ist zu umfangreich. Der Ausdruck sollte in mehrere kleinere Ausdrücke unterteilt werden.
String too long	Zeichenkette zu lang, es wurde versucht, eine Zeichenkette zu erzeugen, die länger als zulässig ist.
Subscript out of range	Unzulässiger Index, ein ARRAY-Element wurde mit einer Indexzahl angesprochen, die außerhalb des dimensionierten Bereiches liegt. Auch eine falsche Anzahl von Indexzahlen bei mehrdimensionalen ARRAYs führt zu dieser Meldung.
Symbol table overflow	Überlauf der Symboltabelle.
Syntax error	Syntax Fehler, in einer Programmzeile wurden Zeichen gefunden, die in ihrer Folge nicht den definierten Formaten für Anweisungen entsprechen, z.B. nicht übereinstimmende Klammern, falsch geschriebene Anweisungen, fehlerhafte Anordnung von Punkt, Komma und Semikolon.
Too many files	Zu viele Dateien, es wurde der Versuch gemacht, auf einer Diskette eine Datei anzulegen, obwohl im Diskettenverzeichnis kein Platz für weitere Eintragungen mehr vorhanden ist.

Too many nested procedures or functions	*Zu viele geschachtelte Prozeduren oder Funktionen.*
Type conflict of operands	*Unstimmigkeit bei den Operandentypen.*
Type mismatch	*Falsche Typzuweisung, einer Zeichenkettenvariablen wurde ein numerischer Wert zugewiesen oder umgekehrt, einer Funktion, die einen numerischen Wert als Parameter erwartet, wurde eine Zeichenkette übergeben.*
Type must not be real	*Datentyp REAL hier nicht erlaubt.*
Type of Operand must be BOOLEAN	*Operand muß vom Typ BOOLEAN sein.*
Undeclared external file	*Nicht deklarierte externe Datei.*
Undeclared identifier	*Nicht deklarierter Bezeichner.*
Undeclared label	*Nicht deklarierte Marke.*
Undefined error code	*Nicht definierte Fehlernummer.*
Undefined label	*Nicht definierte Marke.*
Undefined line	*Nicht definierte Zeilennummer, durch eine Anweisung wurde eine Programmzeile angesprochen, die im Programm nicht vorhanden ist.*

Undefined symbol	Nicht definiertes Symbol.
Undefined user function	Nicht definierte Benutzer-Funktion, es wurde eine Benutzer-Funktion ohne vorangehende Definition aufgerufen.
Unexpected end of input	Unerwartetes Eingabe-Ende.
Unprintable error	Für den aufgetretenen Fehler ist keine Fehlermeldung verfügbar.
Unsatisfied forward reference	Nicht definierter Zeiger bei einer Vorwärtsreferenz.
WEND without WHILE	WEND ohne WHILE, es wurde eine WEND-Anweisung erreicht, ohne daß eine dazu passende WHILE-Anweisung gefunden werden kann.
WHILE without WEND	WHILE ohne WEND, es wurde eine WHILE-Anweisung erreicht, ohne daß eine dazu passende WEND-Anweisung gefunden werden kann.
Write error	Schreibfehler (auf einer Diskette).
Write fault during disk I/O	Schreibfehler bei der Disketten-Ein-/Augabe.
Write protected disk	Schreibgeschützte Diskette.

W. Kitza

dBase II
Eine Einführung
Von der Idee zur Konzeption

iwt

Dieses Buch beschreibt an Beispielen aus der Praxis das Arbeiten mit dem wohl meistbenutzten Datenbanksystem der Welt. Es werden keine Vorkenntnisse vorausgesetzt, sondern es wird Schritt für Schritt das komplette Wissen vermittelt, das man zum Arbeiten mit einer Datenbank braucht.

1984. 226 Seiten.
Geb. DM 56,–/Fr. 56.–/S 437,–
ISBN 3-88322-038-8

Das Buch zeigt an zahlreichen, lauffähigen, praktischen Beispielen aus dem kaufmännischen Bereich die vielseitigen Anwendungsmöglichkeiten von dBaseII.

1986. 300 Seiten.
Geb. DM 56,–/Fr. 56.–/S 437,–
ISBN 3-88322-084-1

Anhand von Kommandos und Funktionen werden die vielseitigen Einsatz- und Variationsmöglichkeiten von dBaseIII gezeigt. Dieser Teil 1 beschäftigt sich mit dBaseIII und hat auch für dBaseIII plus Gültigkeit. Gut als Nachschlagewerk geeignet.

1986. 280 Seiten.
Geb. DM 68,–/Fr. 68.–/S 530,–
ISBN 3-88322-171-6

K.W. Hillerkus

Basic
aus der Praxis
Typische Programm-Beispiele für alle Berufe

iwt

Dieses Buch enthält 30 Programme aus den Arbeitsbereichen: Suchen – Schreiben – Rechnen – Sortieren. Sie sind an keinen Rechner gebunden, da sie unter CP/M und MBasic geschrieben sind. Sie entstanden aus der praktischen Arbeit und haben sich bereits bewährt. Auch der ›Newcomer‹ kann sie ohne Schwierigkeiten einsetzen.

1983. 168 Seiten.
Spiralh. DM 40,–/Fr. 40.–/S 312,–
ISBN 3-88322-031-0

K.W. Hillerkus

Basic
aus der Praxis
Programm-Beispiele für kaufmännisch orientierte Berufe

iwt

Dieses Buch umfaßt 34 Programme und Routinen aus den Arbeitsbereichen: Suchen – Schreiben – Rechnen – Sortieren – Statistik. Die Programme sind unter CP/M in MBasic geschrieben und können somit leicht auf andere Rechner umgesetzt werden.

1983. 192 Seiten.
Spiralh. DM 40,–/Fr. 40.–/S 312,–
ISBN 3-88322-042-6

Das Buch ist für Sachbearbeiter s wie EDV-Profis geeignet. Es baut a Teil 1 auf und vermittelt die Praxis d dBaseIII plus Nutzung in Verbindu mit einem Netzwerk.

1986. Ca. 260 Seiten.
Geb. DM 78,–/Fr. 78.–/S 608,–
ISBN 3-88322-175-9

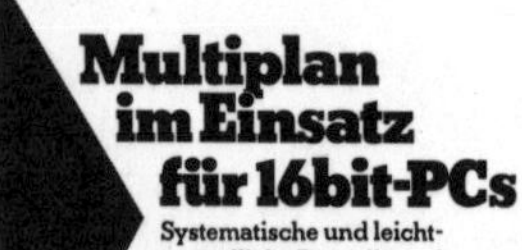

Dieses Buch führt in systematischer und leichtverständlicher Darstellung in die Einsatzmöglichkeiten von Multiplan ein. Anhand von zahlreichen Anwendungsbeispielen wird die Konzeption, Handhabung und Arbeitstechnik gezeigt.

1986. 149 Seiten.
Geb. DM 48,–/Fr. 48.–/S 374,–
ISBN 3-88322-074-4

Dieses Buch wendet sich an SuperCalc-Anwender: Anfänger führt es schnell zur sicheren Handhabung, Fortgeschrittene finden ausgereifte Anwendungen. Beispiele mit ausführlicher Beschreibung machen das Buch auch für VisiCalc-Anwender interessant. Die Unterschiede zwischen VisiCalc und SuperCalc sind in einem Kapitel dargestellt.

1984. 248 Seiten.
Spiralh. DM 56,–/Fr. 56.–/S 437,–
ISBN 3-88322-040-X

Die Verbindung von Kalkulation, Gr
fik und Datenbank verhalf Lotus
schnellem Erfolg. In diesem Buch
lernen Sie zunächst die sichere N
zung von Kalkulation und Gra
Zahlreiche Beispiele zeigen die L
stungsfähigkeit von 1-2-3: Umsa
prognose, Investitionsrechnung,
gungsplan, Private Ausgaben u.a

1984. 296 Seiten.
Geb. DM 58,–/Fr. 58.–/S 452,–
ISBN 3-88322-085-X

Dieses Buch enthält 40 mathematische Programme aus den Bereichen: Mehrregister-Arithmetik – Zahlentheorie – Kombinatorik – Algebra – Geometrie – numerische Mathematik. Neu ist die Langzahl-Arithmetik. Sie gestattet die Grundrechenarten für Zahlen bis 255 Stellen.

1985. 192 Seiten.
Geb. DM 48,–/Fr. 48.–/S 374,–
ISBN 3-88322-077-9

Eine Hilfestellung bei vielen alltäglichen Problemen aus dem wirtschaftlichen Bereich stellt dieses Buch dar. Die finanzmathematischen Grundlagen sind zu jedem Programm beschrieben. Diagramme und grafische Darstellungen verdeutlichen die Ergebnisse der verschiedensten Berechnungen.

1985. 200 Seiten.
Geb. DM 48,–/Fr. 48.–/S 374,–
ISBN 3-88322-076-0

H. Brendel
A. Grießmann
Großes iwt-Wörterbuch der Computer- und Informations-Technologie
Englisch – Deutsch
Deutsch – Englisch

Im Zeitalter der Informationstec
logie stammt der überwiegend
der Fachsprache aus dem E
schen oder Amerikanischen. Mi
sem Wörterbuch (über 2000
griffe) haben Sie Zugriff au
moderne Terminologie von heu

1986. Ca. 500 Seiten.
Geb. Ca. DM 78,–/Fr. 78.–/S 608,–
ISBN 3-88322-140-6